진달래 수필집

시카고 억새꽃

임경옥 지음

시카고 억새꽃

인 쇄 : 2021년 10월 14일 초판 1쇄
발 행 : 2022년 1월 27일 개정 1쇄
지은이 : 임경옥
펴낸이 : 오태영
표지디자인 : 노혜지
출판사 : 진달래
신고 번호 : 제25100-2020-000085호
신고 일자 : 2020.10.29
주 소 : 서울시 구로구 부일로 985, 101호
전 화 : 02-2688-1561
팩 스 : 0504-200-1561
이메일 : 5morning@naver.com
인쇄소 : TECH D & P(마포구)

값 : 10,000원
ISBN : 979 - 11 - 91643 - 21 - 3(03810)
ⓒ 임경옥

진달래 수필집

시카고 억새꽃

임경옥 지음

진달래 출판사

작가 소개

작가 임경옥(林京玉)
1955년생
Lim Kyungok (Amy)

저자 임경옥은 7남매의 둘째로 태어나 전라남도 화순에서 어린 시절을 보냈다.

원래 작가가 되고 싶었던 것도, 문학 전공을 한 것도 아니지만, 독서를 좋아하고 특히 **김소월, 윤동주 시인**과 같은 근현대시를 좋아해 항상 노트에 적어두던 버릇이 나중에는 본인의 시를 써내려가게 되었다고 한다.

IMF때 미국 시카고로 이민을 간 후 고향과 가족을 그리며 써내려간 글들이 우연히 《**미주판 중앙일보와 한국일보**》에 실려 그 후로 7여년 간 **시와 에세이를 연재**했다. 이제 25년만의 고국 귀향과 함께, 시인 작가로 인생의 새로운 시작을 꿈꾸고 있다.

목 차

나의 사랑하는 사람들과
그들과 함께했던
소중한 순간들에게

들어가는 말

황금빛으로 태양이 물들어가는 늦은 오후
들판에 가득한 은발의 억새꽃.
늦여름부터 늦가을까지 나지막한 언덕에 은빛으로
눈부시게 날리는 꽃.
인생의 황혼을 뜻하기도 하고, 척박한 땅 어디에서나
피어나는 억새꽃.
마치 우리 이민자들의 삶을 대변해주듯, 어떤 환경이
나 어려운 상황에서도 굽히지 않고 곧고 부드럽게
우리들의 삶의 언덕을 말없이 지켜내는, 억세면서도
부드럽고 질기지만 아름답고 당당하게 제자리를 지
키는, 이민자들의 꽃.
그 꽃이 마치 나 같아 한참을 바라보았습니다.
글을 쓰며 그 안으로 들어가 어디로든 갈 수 있는
기쁨을 누릴 수 있음이 행복합니다.
아프고 외로운 가슴을 덜어낼 곳이 있어 다행스럽습
니다. 그립고 애틋한 마음을 기억해둘 방법이 있어
감사합니다. 오래오래 이 사랑과 행복을 글로써 그려
내고 싶습니다.

2022년 1월

작가 임경옥

귀향(歸鄕)

밤새 뒤척이다 못내 잠든 잠, 창문의 환한 빛에 눈을 뜨니 6시. 밤새 시간을 걷다가 깨고 난 뒤의 허전함을 지우려는 듯 두 손으로 기지개를 켜고 키질하듯 짧은 머리를 쓸어내린다.

잠시 창문을 열어 환기를 시키며 심호흡을 한다.

내려오는 눈꺼풀에 와 닿는 달달한 향기.

이 작은 보금자리에 안락한 줄기 바람이 한 떨기 꽃처럼 쓰다듬으며 지나간다.

나 사는 동안 숨 쉬는 이곳에서 낡아져 가는 시선들을 하나하나 내 기억 속에 보관하고 사랑하는 사람들과 함께했던 시간도 일기장에 꼭꼭 눌러 적어 본다.

귀향(歸鄕).

돌아갈 곳이 있다는 건 참으로 설레지 않을 수 없다. 언제나 메마른 그리움이 떠나올 때 그 모습 그대로 거기에 있었다. 훌쩍 커버린 아이들은 이곳의 삶이 절대 녹록지 않았다는 걸 기억하고 있으리라.

몸 하나 밑천 삼아 크게 아프지 않고 서툴지만 그래도 잘 살았다. 낯선 곳 낯선 문화였지만 즐겁고 행복했다.

서로가 아끼며 배려하는 삶. 외로운 눈빛 서로 나누며 젖은 어깨 기대며 살아온 시간. 너와 내가 아닌 우리 함께 이기에 행복했던 시간. 모두 모두 나의 보물창고에 간직했다가 햇빛 좋은 창가에 앉아 낡은 사진처럼 꺼내 봐야지.

나를 키워준 햇살, 바람, 들꽃들도 안녕. 나도 잘 지낼 테니 너도 잘 지내. 우리 서로 있는 곳에서 잘 지내며 웃자.

고마워~

사랑해~

내가 사랑한, 나를 사랑해준 모두에게 안녕.

슬퍼도 웃으며 안녕.

나 이제 돌아간다.

떠나왔던 그곳으로.

어느 휴일 아침

마른 가지 사이로 햇살이 반짝이는 휴일 아침,
눈부신 햇살이 창문에 걸터앉아 나를 깨우며 재촉한
다. 늘어지게 늦잠을 자고 기지개를 켜고 핸드폰을
켠다. 밥솥에 불을 켜고 남편을 깨운다. 언제나 똑같
은 휴일 아침 나의 일상이다.
눈부신 햇살이 따사로이 식탁 위에 내려앉고 차 한
잔 앞에 두고 창문 밖으로 보이는 메마른 길을 둘러
본다.
골목길 저 끝으로 지난가을의 잔해들이 사라져가고
이미 와버린 겨울과 마주하는 또 다른 아름다움이
내게 행복한 아침을 선사한다.
아~ 얼마만의 휴식인가.
얼마만의 평화로움인가.
다시는 다가오지 않고 아주 멀어진 줄만 알았던 희
망이 모래알 하나같은 이유로 어느 틈엔가 내 곁에
와 있다.

사랑하는 사람들과 꼭 함께해야 한다지만, 멀리 있어도 서로 따뜻한 마음 간직하며 그리워한다는 것도 큰 행복이란 걸 이 나이 되어서야 깨닫게 되니 난 아직도 배워야 할 게 너무도 많은가보다.

우리가 맞이하는 새로운 겨울 앞에 그저 오늘이 있어 내일이 아름다우리라 그렇게 믿자.

이 시린 겨울 햇살이 온전히 나를 위해 비추인다 생각하자.

저 겨울의 끝에 봄이 자라고 있으니.

중년(中年)이란 나이

중년은 많은 색깔을 가진 나이이다. 하얀 눈이 내리
는 가운데서도 분홍 추억이 생각나고 초록이 싱그러
운 계절에도 회색의 고독을 그릴 수 있다. 그래서 중
년은 눈으로만 보는 것이 아니라 가슴으로도 본다.
중년은 많은 눈을 가지고 있는 나이이다. 어느 가슴
아픈 사연이라도 모두 내 사연이 되어버리고 훈훈한
정이 오가는 감동 어린 현장엔 함께하는 착각을 한
다. 그래서 중년은 눈으로만 우는 것이 아니라 가슴
으로도 운다.
중년은 다시 시작하는 새로운 꿈을 꾸고 사는 나이
이다. 나 자신의 소중했던 꿈들은 뿌연 안개처럼 사
라져가고 남편과 아내 그리고 자식들에 대한 꿈들로
가득해진다. 그래서 중년은 눈으로 꿈을 꾸고 가슴으
로 잊어가며 산다.

중년은 여자는 남자가 되고 남자는 여자가 되는 나이이다. 마주 보며 살아온 사이 상대방의 성격은 내 성격이 되었고 서로 자리를 비우면 불편하고 불안한 또 다른 내가 되어버렸다.

그래서 중년은 눈으로 흘기면서 가슴으로 이해하며 산다.

"중년은 진정한 사랑을 가꾸어 갈 줄 안다."

어쭙잖은 자존심 따윈 아름답게 접을 줄도 안다.

중년은 자기 주위가 얼마나 소중한지를 안다. 그래서 중년은 앞서기보다 한발 뒤에서 챙겨가는 나이이다.

중년의 나이란 너무 젊지도 그렇다고 아주 많이 늙지도 않은 인생의 멋과 맛을 아는 가장 아름다운 나이이다.

특별한 인연(因緣)

아침저녁으로 선선한 바람이 부는 걸 보니 가을이 오나 보다. 언제나처럼 찾아오는 가을은 나의 감성을 자극하며 온통 나를 가을 속으로 끌어들이곤 한다.

도무지 세월이 흐르지 않은 듯 나이를 먹고도 나이 먹은 줄 모르고 늘 이맘때가 되면 언제나 함께했던 것처럼 특별한 친구들이 생각나곤 한다. 몇 십 년을 만나지 못했지만 언제나 마음속에 살아있는 그리운 얼굴들.

체면도 위선도 필요 없이 있는 그대로 웃을 수 있는 그런 친구가 있음을 감사한다.

세월의 흐름 속에서도 언제나 변치 않고 가슴 한구석에 자리를 지켜온 친구. 항상 그리워하며 만나지 못함을 안타까워했던 지난 시간. 지금은 세상이 좋아져 문자나 영상으로도 서로의 얼굴을 볼 수 있으니 그 얼마나 다행한 일인가.

어느덧 우리 인생도 가을로 접어들고 있다. 외롭고 허전할 때마다 글로써 내 마음을 전할 수 있는 친구들이 있어 감사하다. 숙성해 가는 포도주처럼 무르익어가는 우정으로 나이 들어가는 무료함을 이길 수 있도록 하는 특별한 인연의 친구들. 오늘도 나는 나의 친구들이 있는 가을 속으로 들어가 알록달록 곱게 물든 비단길을 함께 걸어가 본다.

아무 일 없음의 고마움

아침에 눈을 떴을 때 좋은 일이 일어나길 바라기보다 그저 아무 일도 일어나지 않길 바랍니다.
언제부턴가 "별일 없이" 산다는 것,
그것이 행복임을 깨달았습니다.
그래요.
우리는 너무 많은 것을 잃어가고 있어요.
세상이 빠르게 흘러가면서
느림의 가치들이 사라져 가고 있는 것 같아요.
조금은 느려질 필요도 있는데.
손으로 꾹꾹 눌러쓴 편지가,
공원에 앉아 이야기를 나눌 수 있는 여유가,
상대의 속도에 맞춰 걷는 배려가
우리에게 필요한지도 몰라요.
그 느림이 누군가에게는 편안함으로 다가오겠죠.
서로에게 편안한 사람이 되어 마음속 그리움들이 설렘으로 바뀌었으면 좋겠습니다.
하루의 끝 시간을 푸근한 미소로 마무리할 수 있었으면 좋겠습니다.
오늘 하루도 다행히 아무 일도 일어나지 않아서 좋았습니다.
그저 평범한 일상이지만 편안히 잠자리에 들 수 있어 행복이라 말하고 싶습니다.

생의 한복판에서

처음 이곳에 발을 내디딘 지가 엊그제 같은데
벌써 이십여 년을 살아 버렸다.
잠시 숨 고르기를 한 다음 다시 제자리로 돌아가리
라는 마음으로 참 열심히도 앞만 보고 달려왔던 것
같다.
조금만 더 더 하다 보니 그리도 낯설고 불편했던 이
곳도 이젠 정이 들어 원래 내 자리인 것처럼 익숙해
져 간다.
누군가 세월은 달리는 백마와 같다더니 결혼식보다
는 장례식에 더 많이 가야 할 나이가 되어있으니
세월의 무상함이란….
미국 와서 가장 놀란 것 중의 하나가
우리가 살아가는 동네 한복판에 묘지가 널려 있다는
것이다.

푸른 잔디에 회색 비석들이 놓여 있고, 사람들이 마치 소풍을 온 것처럼 즐겁게 애기하는 모습은 마치 영화의 한 장면처럼 아름답게 보이기까지 했다.

한국 같으면 응당 동네에서 멀리 떨어진 야산에 자리 잡고 있어야 할 무덤들이 큰 대접이라도 받는 듯, 오가는 사람들 사이에서 함께 어울려 있다는 게 조금은 으스스했었다.

어린 시절 동네에서 제법 덩치가 있고 단단해 보이던 용기 있는 아이들은 저녁 무렵 혼자 공동묘지에 다녀오는 것으로 금방 온 동네에서 영웅이 되어버렸다. 어린 가슴으로 생각만 해도 손에 땀이 배는 그런 무서운 곳이 공동묘지였다.

그런데 미국 온 지 며칠 안 되어 시장가는 길에 푸른 공원처럼 보이는 곳을 지나면서 "우리 내일 저기로 산책가자." 했더니 놀러 갈 데가 없어서 공동묘지로 놀러 가느냐고 했던 남편의 말에 놀라면서 그때야 그 아름답고 화사한 곳이 묘지인 줄 알았다.

어린 시절, 죽음이라는 진리를 처음 받아들이면서 아무도 해결해 줄 수 없는 절망감에 이불에 들어가 불안감에 엉엉 울었던 두려움이 우리 조상들에게도 있지 않았을까. 보고 싶지 않은 것들을 발걸음이 잘 가지 않는 외진 창고에 넣어두듯, 우리의 무덤들은 활기찬 생이 벌어지는 동네에서 멀리 떨어진 야산에 자리하게 되었는지도 모른다.

그러나 기독교적 문화가 자리 잡은 미국에서는 묘지
란 그런 공포의 대상이 아니라 고요히 기도할 마음
을 열어주는, 언젠가 다시 만날 약속이 있고 소망이
있는, 그리움을 나누는 장소인 것처럼 보인다.
그러기에 현재 우리 이웃들의 무덤이 시장 갈 때도,
왁자지껄한 모임을 마치고 돌아올 때도 늘 스쳐 지
나는 동네 한복판, 더러는 사거리 한복판에 엄연히
떳떳한 삶의 활기 있는 한 부분처럼 누워 있는 것인
지도 모른다.

미국 와서 다음으로 놀란 것은 한국의 장례절차와는
전혀 다른 장례 예배를 구경하고서였다. 나는 한국에
서 살 때는 기독교에 대해서 전혀 아는 바가 없고,
우리들의 장례절차는 산 자와 죽은 자의 격리 절차
요, 망각의 절차라고만 생각했었다. 친척들의 초상집
에서는 으레 잔칫집처럼 목청 돋운 큰 소리와 화투
판과 술판으로 잔치의 탈을 쓴 죽음의 한을 만나곤
했었다. 죽음으로 인한 이별의 절망감이 너무도 아득
해서 죽음을 죽음으로 보지 않으려는 안간힘의 몸짓
이 아니었나 싶기도 하다.

그러나 이곳의 장례절차를 본 사람이면 누구나 처음
에는 놀라기 마련인데, 이곳의 장례절차는 죽음을 잊

어버리게 하는 것이 아니라 더욱 뚜렷이 다시 한번 인식시키고자 하는 절차처럼 보인다. 관 뚜껑을 열어 살아있을 때와 똑같은 얼굴로 생기있게 화장을 시킨 그 얼굴을 보게 하고, 가슴에 성경을 안고 있는 주검의 모습은 이제 그가 평안한 잠으로 들어갔다는 느낌이 들게 한다.

나는 나의 주검도 삶의 한복판 속에 자리하고, 시장 갈 때도, 파티를 마치고 돌아오는 길에도 많은 이들의 눈길이 닿을 수 있는 그런 장소에 놓이길 바라본다. 절망의 이별이 아니라 다시 만날 약속이 있는 잠시 헤어지는 아픔으로만 남길 바란다.

지금의 나는 이제 여기저기를 다닐 때, 공원을 만나듯, 친구 집을 지나듯, 묘지 앞을 지나다니게 되었다. 예전 같은 스산함은 이제 없다. 그냥 나의 삶 한복판에 함께 어우러져 살아가는, 생의 일부로 받아들이며, 나는 오늘도 묘지 앞을
스스럼없이 지나간다.

아카시아 하얀 꽃

세상은 온통 진초록으로 출렁이며 눈부시게 빛나는 초록 바다. 하지만 내게는 너무도 아팠던 유년의 기억이 꾸역꾸역 막무가내로 헤집고 들어오는 벼랑 끝의 시간.

바람을 타고 비릿한 향기 넘실대는 아카시아 하얀 꽃. 아카시아 향기 따라 아련한 아픔이 번져오는 내 유년의 남산길….

핏빛 장마가 세차게 몰아쳐 오던 그해 여름은 너무도 아팠다. 너무도 슬펐다. 그러나 견뎌야만 했다.

아카시아 꽃을 너무도 좋아하셨던 당신. 그 향기가 채 멀어지기도 전에 홀연히 떠나시던 날, 장대비가 억수로 퍼붓던 그 길에 아카시아 향기가 아련히 날리었다.

그리워 그리워도 차마 울지 못하고 속으로만 삼키며 잠 못 들던 수많은 밤도 속절없이 흐르는 세월 속에 아물어져 가고, 아픈 속내 한 맘으로 비치니.

눈물로 피워낸 아카시아 하얀 꽃, 부는 바람 속에 속절없이 흩어져 내린다.

눈부신 나이에 떠나신 내 어머니.

주름진 당신의 이마를 볼 때마다 너무도 아려왔던 어린 내 마음.

당신보다 훨씬 더 많이 살아버린 지금, 애써 지우며 살아왔던 시간을 이젠 아련한 그리움으로 떠올려봅니다.

당신이 떠나시던 날을 기억하며….

아~~듀 정유(丁酉)년

후회하지 않는 삶은 없다.

돌아보면 모든 게 아프다.

잘못한 것투성이다.

그래도 안면몰수하고 묵묵히 살아간다. 덜 후회하며 살 그날이 올 거라는 믿음 하나로. 헌데도 까마귀 고기를 먹은 탓인지 매양 실수에 실수를 거듭한다.

다시는 바보처럼 후회하는 일 하지 말자면서도, 이제 육십 넘어 세월을 바라보다 보니 무슨 자격증이나 얻은 것처럼 배짱 하나로 밀고 나간다. 아마도 이것은 꽤 많이 살았다는 자신감 때문이 아닐까 하는 생각도 해본다.

후회의 반복 또 반복할 인생이지만, 묵묵히 앞만 보고 살아간다. 그것이 인생이니까.

정유년도 어느새 저물어간다. 매년 이맘때가 되면 공연히 마음이 조급해지는 것은 늘 미련을 깔아 놓고 사는 인생 탓일 것이다.

강물이 흘러가듯 시간이 흘러가고, 살아온 세월보다 남은 세월이 짧음을 허무하게 느끼는 것도 중년이라는 계절 탓이 아닐까.

이젠 인생의 무상함을 느끼기보다는 소박한 삶 속에서 지혜를 깨닫고 더 많이 베풀고 나누는 아름다운 삶을 가꾸고 싶다. 그것이 세월이 가르쳐 준 연륜이 아닐까 생각해 본다.

같은 시간과 같은 공간을 공유한다는 것은 우리가 함께할 수 있는 축복이며 행복이라 생각하며, 얼마 남지 않은 2017년, 일 년 내내 마음에 지고 오느라 무거운 짐 훌훌 털어버리고 "한 해 동안 고마웠다." 인사말이라도 나누고 싶다. 감사했습니다. 고맙습니다. 그리고 더 많이 나누겠습니다. 사랑합니다. 아~듀! 정유년이여~!

유월의 어느 멋진 날

나는 오늘도 즐겁게 아침을 맞이합니다.

아침을 즐겁게 맞이하다 보면 하루가 괜스레 즐거워
집니다. 뭐 그리 특별할 것도 없는 일상이지만 문을
열고 나면 향긋한 풀 냄새가 제일 먼저 내게 인사를
합니다. 비릿한 아카시아 향기도 참 좋습니다. 바람
이 내 머리칼을 비끼고 지나갈 때면 그 바람 속에
그리운 향기를 실어 보내기도 합니다.

어느덧 유월도 끝이 보이네요.

삶이 그냥 살아지는 것처럼 움직이는 모든 것들과
자연이 함께 했던 이곳에서 난 소박한 꿈도 꾸며 살
아요.

한해의 절반을 보내고 이제 다시 그 절반이 흐른다
해도 아마도 난 지금처럼 같은 자리에서 똑같은 꿈
을 꾸고 있겠지요.

인생 살아보니 별거 없더라고요.
그냥 맘 편하게 하루를 즐겁게 살다 보면 그 하루가
모여서 인생이 된다는 걸 알게 되었으니, 그거면 잘
살아온 게 아닌가 싶네요.
오늘처럼 햇살이 또록또록 빛나는 유월의 한낮. 부끄
럽지 않은 하루를 살았다는 기쁨과 감사한 마음이
내게 있다면 그냥 그걸로 행복하지 않을까요?

유월의 어느 멋진 날에.

나의 아버지

한국에서는 매년 5월 8일을 어버이날로 제정하고 부
모님의 은혜에 감사하며 뜻깊은 날을 보낸다. 미국에
서 아버지 날 (Father's Day, 6월 셋째 일요일)이 제
정된 것은 한 상이군인으로부터 시작되었다고 한다.
남북 전쟁에 종군하였다가 상처를 입어 집에 돌아와
보니 아내가 6남매를 두고 죽은 것이다. 이 외로운
남자는 신체장애인이었으나 21년 동안 온갖 고생을
다 하며 아이들을 양육하였다.

이 감격스러운 아빠의 이야기를 전해들은 '소노다 다
드'여사가 '아버지날' 제정을 여론화할 것을 결심하
고 1909년 워싱턴주에서 캠페인을 시작하였다.

이 운동은 많은 호응을 받아 윌슨 대통령의 후원 성
명을 받았으며(1916년) 6월 셋째 일요일을 아버지 날
로 선포한 것은 1972년 닉슨 대통령 때였다.

아버지 날을 상징하는 꽃은 민들레이다. 사람들은 민들레가 잔디를 버린다고 제초제를 뿌려 죽이고 다시 살아나면 아예 그 뿌리를 뽑아 버린다. 하지만 민들레는 번식력이 뛰어나고 강인하다. 밟히고 뽑혀도 또 나온다. 늦은 봄 노란 카펫을 깔아 놓은 듯 끝도 없이 피어 있는 민들레꽃을 보면 그 아름다움에 감탄사가 절로 나온다.

민들레는 작지만 아주 아름다운 꽃이다. 번식력도 매우 강해서 민들레 씨는 낙하산을 탄 것처럼 멀리까지 비행하기 때문에 누구도 그 번식을 막을 수가 없다.

아버지를 민들레로 비유하는 것은, 굳은 의지와 보이지 않는 강인함과 멀리 내다보는 믿음직스러움 때문일 것이다.

먼 이국땅에 실려 와 이십여 년을 살아오면서 마지막까지 너무도 불효했던 나 자신이 미워서 후회하며 보낸 날들….

꽃다운 나이에 떠나신 어머니를 대신하여 칠 남매 자식들을 어찌 키우셨을까….

언제나 나를 가장 아픈 손가락이라며 애통해하시며 아픈 눈길로 바라보셨던 나의 아버지. 많지 않은 월급을 내미시며 "또 한 달 니가 고생해야 쓰것다." 하시며 내 손을 잡아주시던 아버지.

퇴근길에 햇감자가 나왔다며 사 오시던 아버지의 작은 손이 그토록 크게 느껴질 만큼의 안도감.

속으로 울면서도 겉으론 언제나 씩씩한 척 부자인
척, 너털웃음을 지으시던 아버지 모습 뒤에 감춰진
자식들에 대한 희생을, 좀 더 좋은 아버지가 되려고
노심초사하셨다는 걸 왜 그때는 미처 몰랐을까.

이제 살아갈 날들이 짧아져 오는 내 시간 속에서, 당
신의 심장 속에서 뛰고 놀았던 우리는 당신이 걸어
가신 그 길을 따라가고 있습니다.
언제나 비어있는 아버지의 주머니 속을 인제야 들여
다보게 된 것을 용서해주세요.
이국에서나마 당신을 기억하며 살아온 시간 모두를,
감히 당신께 바치고자 합니다.
저희 모두 서로 모여 사랑 나누며 살 수 있게 되기를
소원해보며 Happy Father's Day를 당신께 바칩니다.
사랑합니다.

노을빛마저 아픈 저녁에

오늘도 난 조금 아팠다.

그리고 순간 외로웠다.

바람 속에 온몸을 맡긴 한 잎 나뭇잎처럼,

때로는 구겨지고 찢기는 아픔보다 나를 더 못 견디게 하는 것은, 나 혼자만 이렇게 흔들리고 있다는 외로움이었다.

어두워져서야 눈을 뜬다.

혼자일 때에는 지나치게 밝은 태양마저 내게 가혹했었던 순간을 기억하며 나는 어쩌다 외로웠던 것이 아니라 한순간도 빠짐없이 외롭고 나 혼자라는 사실이 더 견딜 수 없었다.

무심히 세월 앞에 맞서 부대끼며 살아온 시간은 나를 저 밑바닥까지 끌어내렸고, 자존심을 지키기엔 난 너무 가진 게 없었다. 어쩔 수 없이 살아야 하기에 비어버린 가슴으로 허기진 배를 채워야만 했다.

익숙하지 못한 몇 가지의 언어들을 햇볕에 꺼내 말리며, 잊어버리지 않기 위해 또 하나의 언어를 다시 가슴에 묻고 살아온 시간.

난 지금 어디로 가고 있는 걸까?

이미 바닥난 외로움은 더는 주저하지 않는다. 조금은 얼굴도 두꺼워졌다. 뻔한 이야기지만 자꾸 입술을 웅얼거리며 되새김질을 한다.

누구나 돌아가야 할 고향.

향수병에 마음은 너덜거리는 잡지의 표지처럼 찢겨가고 빛바랜 추억들이 붉은 노을처럼 흩어져 내린다. 그러다 이내 고개를 내젓는다.

타향살이의 외로움은 나를 무겁고 끈적하게 끌어내리지만, 의외로 나를 번번이 건져내는 것은, 허기나 피로, 다음 날을 준비해야 하는 집안일 같은 소박한 일상이다.

그래, 그저 순간순간의 삶에 충실하기로 하자.

배고프면 먹고 목마르면 마시고 졸리면 자고 잡념이 많아지면 무조건 걷자.

차츰 마음을 가라앉히고 차분하고 순하게 살자며, 자연스레 나를 바꾸고 잠시라도 이곳에 머무는 사람들과 순하게 살자. 따뜻한 정, 서로 나누며, 나의 메마른 사막에도 별이 뜨길 기도하며, 오늘도 편하게 잠자리에 들게 되기를 기도해본다.

내리막길

높은 곳에 오르고 싶은 게
사람의 본능인지도 모르겠습니다.
더 높은 지위, 더 높은 학력, 더 많은 물질, 더 많이
가지기 위해 날마다 애쓰며 사는 것인지도 모릅니다.
오르면 반드시 내려와야 하는 산처럼, 어쩌면 인생도
마찬가지인 것 같습니다. 오른 뒤에는 반드시 내려와
야 합니다.
산이 오르는 일이 한없이 힘들고 어려워 보여도, 정
작 위험한 사고는 내려올 때 더 많이 난다고 하네요.
방심하게 되는 까닭일까요?
어쩌면 인생도 마찬가지인 것 같습니다. 무언가를 이
루기 위해 오르는 길보다 내리막길에서 더 조심하고
정신을 차려야 하는 게 아닌가 싶습니다.
더 겸손하게 내려놓는 것. 더 지혜롭게 속도를 내는
것. 그리고 나이 듦에 위축되지 않고 더 당당해지는
것들이 아름다운 노년을 보낼 수 있는 길이 아닐까
생각해 봅니다.

세월이 문틈으로 스치듯 지나가는 백마와 같다는 말
이 있듯이, 해야 할 일을 빼곡히 적어가며 새해를 시
작한 게 어제 같은데 어느새 한해의 끝자락에 서 있
습니다.

그래도 눈 뜨고 있는 매 순간 사랑하는 사람들과 함
께할 수 있는 것도 삶의 축복이라 여기며, 우리 사는
동안 서로 웃으며 만나는 기분 좋은 인연으로 오래
도록 기억되길 바라며 천천히 삶의 계단을 건너가려
합니다.

거울을 보며

시간 속에 영원히 사는 것은 없다. 낡고 때 묻고 시들지 않은 것은 아무것도 없다. 세월의 열두 장 달력을 찢으며 벌써 내가 이런 나이가 되었나 하고 혼자 중얼거릴 때가 많다.

얼핏 스치는, 감출 수 없는 주름 하나를 바라보며 거울 속에 비친 낯선 얼굴이 나라고 인정하기를 주저할 때가 있다. 실제 내 얼굴과는 상당히 다른 어떤 모르는 얼굴처럼 느껴지기 때문이다.

좀 더 싱싱한 살빛과 불그스레한 입술, 반듯한 이마, 검은 머릿결의 모습은 온데간데없고, 푸르스름하고 초췌한 얼굴이 바로 지금 나라는 사실이 조금은 낯설다.

각자의 얼굴은 사실 각자의 생활이다.

그 사람의 모든 것. 부와 명예, 가난, 생에 대한 갈구, 이 모든 것들이 얼굴에는 자신도 모르게 쓰이기 마련이다. 그래서 나이를 먹으면 자기 얼굴에 책임을 져야 한다는 말을 하나 보다.

살면서 가장 잡을 수 없는 것 가운데 하나가 나 자신이었다. 붙잡아 두지 못하고 속절없이 바라보고 있어야 했던 것. 변해가는 것을 그저 망연히 바라보고 있어야 했던 것이 바로 나 자신이었음을 너무 늦게 깨닫게 되었다는 것이 아쉽다.

하지만 후회는 않는다. 나름대로 최선을 다하며 살았다고 스스로 위로를 하며 애써 괜찮은 척해본다.

그것이 비록 어제와 별다름 없는 오늘일지라도, 홀로 자신의 거울을 마주하려 하는 사람에게는 이 오늘이 특별한 날이 되는 것이다.

세월의 덧없음, 잡지 못하고 지나가 버린 시간이 드리워진 거울 속 푸르스름한 얼굴을 떠나 내 얼굴에 책임을 질 수 있는 삶을 오늘도 만들어 나가는 것이다.

11월은

바람이 제법 차가운 게 이제 긴 겨울로 들어섰나 보
다. 가을이라 하기엔 너무 늦고 겨울이라 하기엔 조
금 이른 계절이다. 그래서 11월은 조금 쓸쓸한 달이
기도 한다.

어쩌면 11월은 인생의 60대처럼 애매한 달이기도 한
다. 서둘러 문을 닫기에는 어딘가 허전한 과수원 같
다. 빗장을 지르기에는 기력이 남아 있지만 그렇다고
무언가 시도하기에는 왠지 자신감이 없고 늦었다는
감(感)이 있다.

그래서 조금은 슬픈 달이다.

11월이 그렇다.

그래서 얼굴에 웃음기가 사라질 수도 있다. 누가 무
슨 말만 하면 눈물이 난다.

공연히 화가 나고 공연히 허무하고, 그래서 더 사랑
하고 더 주고 싶다. 하지만 안타까운 것은 그 11월조
차도 그대로 벽에 머물러 있지 않는다는 사실이다.
오히려 다른 달 보다 더 매몰차게 지나간다.

11월은 만추의 끝자락과 엄동설한의 입구에 걸림돌처럼 놓여 있어 사람들은 저마다 삶에 몰두하며 11월의 공허를 애써 외면하려 한다.

좋은 기회를 만나지 못한 사람은 한 사람도 없다. 다만 그 기회를 붙잡지 않았을 뿐이다.

그렇다면 나는 지금 막 떠나려는 열차에 올라타듯 11월을 붙잡고 있는지도 모른다.

삶의 목표가 있다면 어떤 장애물도 두렵지 않다는 것을 11월에 와서야 겨우 알게 된다는 것을 우리는 미처 깨닫지 못했다.

가을 서리가 11월에 비롯되듯 인생 역시 온갖 미적거림 속에 11월이 돼서야 뒤돌아보고 후회한다는 것이다.

하지만 후회는 과정에 의한 결과일 뿐.

아직 우리에겐 12월이 있다.

마무리하기에는 충분한 시간이다.

할 일을 다 못했다고 불평하지 말고, 어렵고 힘든 일이든 끼어가든 넘어가든 내가 살아야 할 내 몫이다.

남루한 일상이라도 후회하지 말고 마음에 품은 별 같은 꿈을 향해 남은 12월을 열심히 마무리하자.

너를 보낸 후

초겨울 언 땅에 너를 묻었다지만
나는 볼 수도 갈 수도 만질 수도 없었다.
불효의 이별이 채 가시기도 전에
이토록 시린 겨울 찬바람 속에 또다시 너를 보내야
한다는 것이 정녕 믿어지지가 않았다.
금방이라도 문을 열고 누나, 하고 들어올 것만 같아
자꾸 문 쪽을 바라보지만 어디에도 너의 모습은 보
이질 않는다. 네가 이 세상 어디에도 없다는 것을 나
는 그때도 아직도 도저히 믿을 수가 없다.
초겨울의 짧은 햇살은 노란 낙엽의 잔해 위로 부서
지고 물밀듯이 밀려오는 슬픔과 그리운 마음은 또다
시 쓰라린 고통 속으로 떨어진다.
얼마나 나를 원망했을까.
남에게 싫은 소리 한번 안하고 욕심내지 않고 어질
게 살았던 너,
길을 가다가도 불쌍한 사람을 보면 멈춰 서서 주머
니를 뒤적이던 너,

살아오는 동안 언제나 의지되고
시리고 젖은 손 잡아주던 오빠 같은 동생.
이제 무엇으로 내 빈 가슴을 채울 수 있을까.

내 삶은 이미 너와 함께 언 땅에 묻혀버린 듯, 식어
버린 육신은 도무지 기운을 차릴 수가 없다.
반갑지 않은 불청객은 내 온몸을 점령해 버리고, 오
랫동안 날 이리저리 끌고 다닌다.
아, 정말 이렇게 아프면 죽는가 보다.
이렇게 아프면 정말 죽는 게 편하겠구나.
난생 처음, 혹독하게 아팠지만 잡초처럼 끈질긴 생명
력은 다시 서서히 소생하기 시작했다.
건강하게 살아있음이 고통스럽다.
마음 편히 아플 수도 없다. 슬픔도 마찬가지다.
도무지 일손이 잡히질 않아 멍한 시선으로 창밖을
내다본다.
어둑해진 저녁길, 쉴 새 없이 달리는 자동차의 물결
들. 그 속으로 뛰어들고 싶은 충동이 하루에도 수십
번씩 나를 일으켜 세웠다. 잠을 잘 때나 깨어있을 때
나 순간순간 너의 생각에 미친 듯이 뛰쳐나가 보지
만 무심한 바람소리만이 앙상한 나뭇가지를 흔들어
대곤 했다.
모든 희망이 내게서 멀어져가고 어둠이 내리는 저녁
이 두려웠다. 이 세상 어디에도 네가 없다는 사실이
너무도 고통스럽다.
차라리 죽어서 너를 볼 수 있다면.

그 누가 인간은 망각의 동물이라 했던가.
모든 슬픔과 그리움은
삶이라는 현실 속으로 나를 집어넣고
서서히 치유되어 가는 내 생의 비굴함이란.
아침이면 기계처럼 다시 일어나
도시락을 챙기고 삶의 현장으로 간다.
그리고 아무 일 없었다는 듯 바쁘게 하루를 보낸다.
저녁이면 눈시울을 붉히면서도
배고픔을 달래려 식탁 앞에 앉는다.
아직은 할일이 남아 삶을 포기하지 못하지만
언젠가는 나 또한 너처럼 이 세상을 떠나겠지.
사랑하는 사람들에게 커다란 슬픔을 남겨놓고서..

꿈속에서라도 너를 만날 수 있게 해달라고
간절히 기도하며 잠자리에 들어 눈을 감는다.
진정-
내가 죽어 너를 만날 수 있다면,
이대로 잠들어 영원히 깨어나지 않기를
그렇게 기도하며 잠들어 본다.

만남 그리고 인연(因緣)

겨울을 재촉하는 비가 촉촉이 내리는 휴일 아침, 따뜻한 커피 한잔을 앞에 놓고 창문 너머로 내리는 비를 보고 있자니 이런저런 생각들이 눈앞을 스쳐 지나간다.

처음 이 땅에 발을 내딛던 날, 모든 것이 낯설고 새로웠던 때. 말도 안 통하고 길을 몰라 혼자서는 운전도 서툴러 항상 긴장되었던 날들이 생각난다.

마음 터놓고 애기할 친구가 너무 그리웠던 그 시절에 한국에 있는 형제들과 친구들은 새로운 환경에 적응하기 힘들고 외로울 때 눈물 나게 그리웠던 사람들이다.

밤이면 "왜 난 이 나이에 여기까지 와서 이렇게 외롭게 살아야 하나?" 하며 수없이 많은 밤을 눈물로 새워야 했던 때. 지금 생각해도 콧등이 시큰거린다.

마땅히 기댈 것 하나 없이 몸 하나 밑천 삼아 앞뒤 안 돌아보며 쉼 없이 달려와 한숨 돌리고 뒤돌아보니, 걸어온 자국마다 눈물로 얼룩진 시간.

그 누가 말했던가, 인내의 끝은 달다고.
감사하게도 지금 내 주변에는 너무나 좋은 분들이

많이 있다. 삶의 지혜도 배우고 생일도 함께해주고 수시로 연락하며 챙겨 준다. 감기 조심해라. 김치 담갔으니 가져다줄게. 오이지가 맛있게 익었다 나눠 먹자. 밥 잘 챙겨 먹어라 등등 염려해주고 시간 내어 같이 식사도 하며 지내는, 멀리 있는 식구보다 더 가까이 지내는 이웃사촌들이다.

그중에는 딸아이와 태어난 날이 같은, 연배가 높으신 언니 한 분이 계시는데, 언제나 대견하다고 칭찬해주시며 살뜰히 챙겨 주신다. 이십여 년을 한결같은 마음으로 고민도 들어 주시고 힘들 때 위로의 말도 아끼지 않으신다.
혈육처럼 지내던 한 분이 다른 주로 이사를 하던 날, 눈이 퉁퉁 붓게 울었던 때, 가슴 한쪽이 텅 비어 버린 것처럼 무너질 때.
지금 생각하니 이 모든 게 만남과 헤어짐이라는 인연의 끄나풀이란 걸 알게 되었다. 언젠가는 다시 만날 것을 약속하며 마음을 다스리는 데 그리 오랜 시간은 걸리지 않았다.

난 지금 내 삶에 만족한다. 더 이상의 욕심은 부리지 않겠다고 다짐도 해본다. 성실한 만남 속에 행복을 찾을 수 있듯이 지금 내 주변에 있는 사람들과 좋은 관계를 유지하며 소중한 사람들에게 아름다운 기억으로 가슴에 간직되는 사람이 되었으면 한다.

행복 만들기

그리도 매몰차게 불던 바람도 어디론가 사라지고 모처럼 따스한 햇볕이 얼굴을 내미는 일요일 아침 신발 끈을 조이고 아침 운동을 나간다.

지난번 딸아이가 사준 운동화에 스카프를 두르고 기분 좋게 현관문을 나서니 상쾌한 바람이 머리카락을 쓸어넘기고 달달한 미풍에 손을 내밀어보기도 한다.

하이~ 굿 모닝!

(Hi, Good morning!)

앞집 남자가 웃으면서 인사를 건넨다.

5년 전 이사 온 앞집 남자는 늘 행복한 얼굴이다.

처음 보았을 때의 검고 윤기 나던 머리가 약간 대머리가 된 것 말고는 여전히 똑같은 행복한 얼굴이다.

아이들에게 좋은 아빠라는 레이블이 온몸에서 풍기는, 따사로움과 진실함을 갖춘 남자다. 주말이면 아이들과 농구대에서 놀아주고, 공휴일이면 트레일러를 매달고 아이들과 함께 여행을 간다. 빈집에 따스하게 남아 있는 전등불조차도 주인의 모습을 닮아있다. 작은 것에서 행복을 찾는 그들의 삶이 부럽다.

좋은 부모로 살아가는 일.

절대 쉽지 않은 일을 쉬운 듯 실천하며 정직하게 사는 사람들 앞에 서면 나도 따뜻한 피가 흐르는 사람이 된다. 작은 것들이 모여 큰 것을 이루는 진리를 가르쳐주는 사람들. 그래서 난 지금 내 이웃을 좋아한다.
서로 다른 문화와 피부 색깔이 달라도 그들은 언제나 나를 보면 얼굴 한번 보지 못한 내 딸 아이의 안부를 묻곤 한다.
인돌이(인도 사람을 나는 그렇게 불렀다)라고 습관처럼 부르던 나를 부끄럽게 만든다.

아름다운 삶이란,

밤하늘에 반짝이는 별과 눈이 마주쳐도 행복해질 수 있는 것이라는 걸 따뜻한 가슴으로 사는 내 이웃에게서 배운다.
얼굴에 부딪히는 찬바람이 상쾌하게 머리를 맑게 비워준다. 빠른 걸음으로 걸으며 스쳐 지나는 모든 것들이 아주 고마움을 느끼며 맑은 공기와 바람, 햇볕, 건강하게 살아있음에 오늘도 작은 행복을 느껴본다.

들길

하얀 비누 거품 같은 뭉게구름과 푹 담가 세수하고 싶은 바다 같은 파아란 하늘. 적당히 불어오는 바람을 맞으며 천천히 들길을 걷는다. 바람이 머리카락을 빗어 넘기고 노오랗게 핀 이름 모를 들꽃 사이를 흔들며 지나간다.

여유로운 발걸음은 주변의 들꽃들과 어우러져 또 다른 풍경화를 만들어 낸다. 그렇게 한참을 걷다 발길을 멈춘 곳은 들꽃 사이에 굴을 파고 들락거리는 청설모 한 쌍이다.

다람쥐보다 조금 크고 꼬리가 길다. 나무 위에 집을 짓고 사는 줄 알았던 청설모가 땅속에 굴을 파고 산다는 걸 처음 알았다. 참으로 신기했다.

얼마쯤 걸었을까…. 멀리 석양이 마지막 빛을 발하며 온통 붉은 빛을 토해낸다.

천천히 왔던 길을 되돌아가며 자연과 내가 하나가 되는 풍경화를 그려본다.

얼마 만인가.

앞만 보고 빠르게 내달리기만 했던 시간.

주는 것보다 받기만을 바랐던 욕심들.

그런 습관을 조금씩 버리려 하니 주변의 그림들과 나를 돌아보는 시간이 선물로 주어졌다.

주변을 붉게 물들이며 사라져가는 석양이 내 두 눈 속에 황홀하게 흔들거리고 있었다.

감동(感動)

나는 세상을 살아가면서 사람들을 감동하게 하는 일은 많지 않다고 생각했다. 솔직히 말해 이 나이쯤 살다 보니 웬만한 일에는 별 감동하지 않으며 살아왔다. 부부간에도 서로에게 감동을 주는 일이 쉽지가 않다. 하물며 남에게 감동을 주는 일은 더욱 어려운 일이라고 생각했다.

많은 사람은 큰일에 더 큰 감동하는 줄 알지만, 실은 아주 작은 일에도 큰 감동하게 된다는 걸 알게 되었다.

3년 전쯤인가. 까맣고 키가 큰 흑인 여자아이가 책 한 권을 들고 우리 가게를 찾아왔다. 내가 사는 동네 볼링브룩 하이스쿨 바스켓볼 선수라고 하며 자기에게 후원자를 해 달라는 것이었다. 그렇게 하면 우리 가게 이름을 학교 책자에 넣어서 홍보해 줄 테니, 운

동을 계속할 수 있게 얼마라도 좋으니 도와 달라는
거였다.

매년 이맘때가 되면 혼히 있는 일이라 남편한테 물
어본다며 핑계를 대고 돌려보냈다.

며칠이 지난 후 까맣게 잊어버리고 있는데 그 아이한
테 전화가 왔다. 남편한테 물어보았느냐고, 오늘 학교
끝나고 들르겠다며 전화를 끊었다.

전화를 끊고 남편한테 자초지종 얘기를 했더니 아무
런 의심도 없이 150불짜리 수표를 끊어 주었다.

그렇게 인연이 되어 150불씩 3년 동안 그 아이를 도
와주었다.

그런데 지금 베키(그 애 이름)가 작은 초콜릿 상자와
우리 가게 이름이 실린 학교 책자를 보여주며 자기
가 올해 챔피언을 했다며 그동안 너무 고마웠다고
감사 인사차 들렀다며 가게에 다녀갔다.

이제 9월이면 미조리 주에 있는 유니버시티로 스카
우트되어 가게 됐다며 좋아했다. 전혀 생각지도 못했
는데 이렇게 큰 감동을 주다니. 처음 그 아이를 의심
했던 나 자신이 부끄러웠고, 아무런 의심 없이 베키
를 도와주었던 남편의 마음 씀씀이가 고마웠다.

결코, 생색내려고 한 일은 아니지만, 우리의 작은 도
움이 그 아이에게 큰 도움이 되었다는 것이 오랫동
안 나에게 큰 감동으로 남았다.

꼭 세상을 뒤흔드는 사건을 만들어 감동을 주어야
하는 것이 아니라, 우리 주위의 작은 일로 이웃을 기
쁘게 한다는 게 몇 배 더 진한 감동으로 남는다는
걸 깨달았다.

서로가 서로에게 조금씩 마음을 열고 주고받으면서
사는 삶. 이러한 감동들이 이민의 고달픔에 작은 용
기가 되지 않을까 생각해 본다.

향기나는 사람

사람은 누구나 가지고 있는 자기만의 향기가 있는 것 같다. 느낌이 좋은 사람, 보기만 해도 기분이 좋아지는 사람, 왠지 정이 가는 사람.

그것을 우리들은 첫인상이라고 한다.

그런데 가끔 만나는 특별한 사람에게서는 정말로 장미꽃 향기가 난다.

우리 가게 오는 손님 중에 크리스티나라는 여자 손님이 있다. 그녀는 파란 눈에 금발머리의 전형적인 미국여자다. 그녀가 가게 문을 열고 굿모닝, 하며 빨래감을 테이블위에 올려놓으며 새하얀 이를 전부 드러내며 환하게 미소를 지으면 나는 넋을 놓고 그녀를 바라본다.

가게 전체가 온통 장미꽃 향기로 가득 찬 느낌이다.

정말 미소가 아름다운 여자다. 예쁜 얼굴만큼이나 예쁘게 웃는 모습을 보면 나는 한동안 현기증을 느낀다. 여자인 내가 봐도 반할 정도인데 남자들은 어떨까. 마음씨 또한 천사처럼 예쁘다.

처음 가게를 오픈했을 때 일이다.

큐빅 단추가 달린 아주 비싸 보이는 재킷을 드라이 클리닝 했는데 단추가 다 녹아 없어진 것이다. 너무 놀라 남편과 나는 비슷한 큐빅 단추를 사다 달아 놓고서 꽤 비싼 재킷 같은데 물어달라고 하면 어떡하나하고 걱정만 하고 있었다.

막상 그녀가 옷을 찾으러 왔을 때 서투른 영어로 한참을 설명하면서 정말 미안하다고 했더니 그렇게 비싼 옷이 아니니 걱정 말라며 새 단추가 너무 마음에 든다며 고맙다고 오히려 날 위로해 주었다.

내가 겪은 미국사람이라면 백프로 새 옷으로 물어달라고 했을 텐데. 그 뒤로 그녀는 우리가게 단골이 되었다.

크리스마스 때는 언제나 쿠키를 구워서 가져오고, 밸런타인데이 때는 초콜릿을 선물해주어 언제나 나에게 감동을 주곤 했다.

뛰어난 미모만큼이나 마음 또한 너무도 아름답다.

이렇게 예쁜 여자의 남편은 어떤 사람일까 하며 궁금증이 발동하여 망설이다 물어 보았더니 자기는 아직 싱글이라고 했다.

남자 친구는 있지만 결혼할 사람은 없다고 했다.

자기는 빨리 결혼해서 아기도 낳고 맛있는 음식도 만들며 행복하게 살고 싶은데 남자들은 자기와 결혼하는걸 싫어하는 것 같다며 시무룩하게 말했다.

결혼하자고 하면 다 도망간다나.

한참을 수다를 떨다 돌아가는 그녀의 뒷모습이 왠지 쓸쓸해 보여 순간 코끝이 찡했다.

난 도무지 이해가 되지 않았다.

저렇게 예쁜 여자와 결혼하기 싫다는 간 큰 남자친구 얼굴 한 번 보고 싶네, 하며 이유가 뭘까 궁금했지만 그건 둘만이 아는 일.

그러고 보면 신은 우리에게 너무도 공평하시다.

누구든 완벽하게 만들지 않으시고 어느 한 군데씩 조금 부족하게 만드셨나보다.

아무리 완벽해 보이는 사람이라도 적당히 부족하게 만들어 서로 없는 것을 채워 가라고 하셨나보다.

이제 얼마 후면 밸런타인데이이다.

얼짱, 몸짱, 거기다 마음까지 짱인 크리스티나에게 정말로 특별한 날이 되었으면 좋겠다.

부디 근사하고 멋진 남자친구로부터 특별한 초콜릿을 선물 받게 되길 바라며, 모두에게 해피 밸런타인데이! Happy Valentine's Day!

로즈가든

가을바람이 순하게 흔들리는 휴일아침.

집 근처 로즈가든이라는 식당에 늦은 아침을 먹으러 간다. 휴일 아침은 긴장감이 풀린 탓인지 언제나 게으름을 피우게 되어서 아침 겸 점심으로 여유로운 브런치를 먹는다.

계란에 우유를 부어 양파와 감자를 넣어 볶아 만든 오믈렛이 일품이다.

고소한 브로콜리스프와 오믈렛을 기다리는 동안 여기저기 두런두런 다정하게 들려오는 목소리들.

샌드위치를 반으로 자르는 노인들의 모습을 이 식당에서 는 쉽게 볼 수 있다.

피클이나 양파를 넣지 않은 통밀 **빵**으로 만든 평범한 로스트비프 샌드위치.

떨리는 팔을 흔들리지 않게 식탁 끝에 받치고 왼손으로는 샌드위치를 누르고 오른손으로 끝에서 끝 대각선으로 샌드위치를 자른다.

신기한 듯 그들을 바라보는 나.

잠시 냅킨으로 입가를 닦고 반쪽을 미리 준비한 여분의 접시에 담는다. 냅킨을 풀어 천천히 스푼, 나이프, 포크를 나란히 놓고 풀 먹인 하얀 냅킨을 무릎위에 반듯하게 펼치고는, 지그시 그의 눈을 바라보며 두 손을 내미는 아내에게 반쪽의 샌드위치를 건네주는 그 광경을 나는 부러운 눈빛으로 바라본다.

노부부가 함께 식사하는 모습을 보면 쓸쓸해 보이기도 하지만 따스해 보이기도 한다. 통밀빵 샌드위치 반쪽으로 모든 것을 이야기 할 수 있을 만큼 이들에게는 서로가 가장 친밀하고 가장 소중한 존재이기도 할 것이다.

할아버지의 떨리는 손으로 전해주는 샌드위치 반쪽을 기다리는 할머니에게서는 여전히 고운 여심이 보이고 화사한 꽃이 지고난 후의 잔잔한 평화로움이 보인다.

저무는 석양의 노을빛을 사랑하는 사람과 함께 바라볼 수 있는 사람들, 꺼져가는 황혼을 함께 바라볼 수 있는 사람들, 그저 살아있음에 감사할 수 있는 사람들.

두 분이 함께, 혹은 홀로 식사하는 모든 할아버지 할머니들의 건강을 마음으로 빌어보는 아침이다.

삶이란 외로움을 견디는 것

햇볕이 따가운 한가로운 한낮의 오후. 혼자서 늦은 점심을 먹으려니 목이 멘다. 요즘 들어 문득문득 외로움 같은 걸 느끼며 지나온 시간을 되짚어 보며 주름 잡힌 시간 속으로 들어가 본다.
"외로우니까 사람이다"
라는 **정호승** 님의 시를 가끔 되뇐다.
이민 생활이 바빠 외롭다는 감정조차도 사치스러울 때가 있지만 사랑하는 가족들과 친구들이 당장 닿을 수 없는 거리에 있다는 사실은 가끔 외롭다.
처음엔 외로움에 빠져서 허우적거리기도 했지만, 요즘엔 나만의 치유 방법을 정하였다.
감기처럼 외로움이 올 것 같다 싶을 때는 무조건 걷는다. 아주 빠른 걸음으로 걷고 나서는 향 좋은 헤이즐넛 커피를 큰 크기로 주문해서 마신다. 커피를 별로 좋아하지는 않지만, 이 단순한 나의 처방이 우습기도 하다.

향긋한 커피 향이 내 코끝을 자극하며 목을 타고 내려가는 순간 또다시 뛸 힘이 생기는 것 같아 큰 위로가 된다.

시간은 어찌나 빨리 지나가는지, 내 마음을 돌아볼 생각조차도 못했는데 요즘엔 외로움을 느끼는 걸 보니 한결 쉼표가 가까워졌다는 의미가 아닌가 하고 긍정적으로 생각해 본다.

나름으로 열심히 살아왔다고 자부해 보지만 놓쳐버린 순간들이 자꾸만 아쉬움으로 남는 건 어쩔 수가 없다.

한국 책 구역이 있는 도서관을 찾아서 책을 읽는 것으로 고국에 대해 그리움을 달래던 수많은 시간.

일 년 내내 책 한 권 읽어내지 못했던 한국에서의 생활을 반성이라도 하듯 그저 한글로 쓰여 있다는 게 반가워 빛바랜 책장을 넘기며 지새운 여러 밤들….

많은 책은 아니지만, 그 정도 양이 있다는 것만으로도 큰 위안이 되었던 순간들.

어쩌다 한국 사람을 만나서 영어가 아닌 한국말로 이야기를 나누다 보면 마음이 한결 괜찮아지기도 하고 또 한국 상점에 가서 장을 보다 토속적인 한식을 요리하다 보면 마음이 풀어지곤 했다.

어느새 이 나이 되어 뒤돌아보니, 세월은 내 그림자만 데리고 저만치 앞서가고 있었다. 이제는 짧은 만남긴 이별조차도 익숙해져 버릴 만큼 살아 버린 지금, 후회는 없다.

인생이란 어차피 혼자 먹는 밥상이 아닐까. 함께 했기에 행복했고, 혼자이기에 외로운 건 당연한 거라고, 삶이란 그 외로움을 견디는 것이라고.

이제 자꾸만 짧아져 가는 내 시간 속에서, 살면 살수록 내가 무엇을 좋아하고, 무엇을 하면 기뻐하는지, 어떤 순간이 내 마음이 편안한지를 알아가는 것이 이제부터 내가 할 일이 아닌가 싶다.

기다리지 않고 내가 먼저 다가가는 것.

내가 서 있는 이 자리에서 변함없이 하루하루 충실히 살아내는 것. 빗장 하나 채울 힘이 남아 있을 때까지.

이모 구함

지난 주말 오랜만에 연락이 닿은 지인과 함께 자주 가는 식당에 갔다.

비뚤어진 글씨로 작은 종이에 급구 – "주방 이모 구함"이라고 식당 문 앞 유리창에 붙어있었다.

너무도 반갑고 친근한 호칭, 이모~ 고모가 아닌 꼭 이모여야 했을까? 순간 웃음이 나왔다. 주방 이모가 먼 이국에까지 실려 오다니. 주인의 재치가 돋보이는 친근한 주방 이모~

언제부턴가 아줌마가 사라진 자리에 이모가 등장했다. 우리는 가사도우미도 이모라 부른다. 마트에서 카트를 끄는 늙수그레한 아저씨도 그냥 우리는 삼촌으로 부른다. 가깝게 느껴지고, 차별하지 않는 느낌. 친척이 아니면서도 친척 같은 말, 이모나 삼촌.

정이 들어있고 살갑게 다가오는 우리말이다.

은근히 듣기 좋은 호칭이기도 하지만 달리 생각해 보면 슬픈 이름인 것도 같다.

뭐든 알아서 척 척 해결해 주어야만 할 것 같은 사람. 힘들어도 힘들다 하지 못하고 언제나 꿋꿋하게 힘센 이모나 삼촌으로 남아 있어야 하니까 말이다.

엄마 손이 필요한 어린 시절에는 우리를 항상 보살펴 주었던 언니가 있었다. 엄마의 할 일을 대신해 주었던 언니.

몇 명의 언니들이 머물다 간 내 유년 시절의 기억을 떠오르게 하는 "이모 구함"이라는 말.

언제나 포근하게 안아 주며 어린 내 눈물을 닦아 주었던 **순옥 언니**. 가끔은 내 명치 끝을 아리게 하며 보고 싶음을 달래야 했던 시간. 바쁘다는 핑계로 외면하며 살아버린 날들.

이제는 되돌아가기에는 너무도 멀리 와버린 지금, 내 마음속 어디에선가 애타게 찾고 있는 이모를 난 지금 낯선 미국 땅 허름한 식당에서 그 이모를 만나고 그리운 순옥 언니를 떠올려본다.

빨간 립스틱

여자의 변신은 무죄.

요즘은 유행이 단발머리에 파스텔 색조 피부에 진한 눈 화장과 연한 핑크빛 입술을 한 메이크업이 유행인지 너도나도 모두 단발머리에 엷은 핑크빛 입술이다.

티브이에서 보는 연예인들은 하나같이 동안 얼굴에 우윳빛 피부에 엷은 입술 색이 유난히 어려 보인다.

나이가 들어도 젊고 어려 보이고 싶은 여자의 본능은 어쩔 수가 없나 보다. 하얀 얼굴에 조금은 나이 들어 보이는 빨간 립스틱 입술이 나의 등록상표처럼 오랜 세월 익숙해져 버린 내 얼굴에도 조금은 변화를 주고 싶은 탓인지, 아니면 조금 더 어려 보이고 싶은 마지막 안간힘인지.

아무튼, 텔레비전에 나오는 어느 중견 탤런트의 고운 모습에 반해서 나도 한번 변화를 시도해 보았다. 나름대로 공을 들여 비슷한 화장을 하고 나갔다.

가게에 나가서 남편 앞에 왔다 갔다 하며 반응을 기다리는데, 나를 힐끔 한 번 쳐다보며 하는 말….

"늦게 나오면서 화장도 안 하고 나왔네~"

헉.. 와~ 한 시간 공들여 한 화장인데….

근데 눈은 왜 그래? 하는데 옆에서 일하는 애가 오더니 아씨 어디 아프냐고 묻는다. 우리 집에서 일하는 사람들은 나보고 아씨라고 부른다. (아저씨의 줄임말) 노~오 아이엠~파인. 하고 돌아서 거울을 보는데 집에서 와는 달리 진짜 아픈 사람처럼 생기 없고 창백한 얼굴이다.

잠시 후, 굿~모닝 하며 들어선 단골도 너 어디 아프냐고 묻는다. 자기가 볼 때 너 쉬지 않고 일만 해서 아픈 거 같다며, 빨리 닥터한테 가보란다.
애써 웃음이 나오려는 걸 참으며, 그래 아무나 어울리는 게 아닌가 보다. 그래도 애써 한 화장인데 오늘 하루만 아픈 척하자고 있는데, 눈치 백 단인 남편이 가까이 오면서 당신은 빨간 립스틱이 젤 잘 어울려, 하며 웃으며 화장 가방을 건넨다.

당신도 그렇게 생각해? 나도 그런 것 같아~
아무리 유행이라지만 그래도 가장 평범한 게 가장 아름답다는 내 반쪽의 말을 뒤로하고 난 지금 거울 앞에 서서 빨간 립스틱으로 화장을 마무리한다.

유월의 향기

내게는 사뭇 잊히지 않는 그리운 언덕이 있다. 그곳은 티 없이 맑은 아이들의 얼굴만큼이나 환하게 웃음 띤 푸른 언덕이 있다. 그 언덕 위에 작은 교회당이 있고 파아란 잔디와 맨드라미, 채송화, 분꽃, 봉숭아 갖가지 꽃들이 피어 있는 작은 뜰도 있다.

교회당 입구 양옆으로 빨갛게 불타듯이 피어 있는 사루비아.

어릴 적 친구들과 뛰어놀던 작은 교회당. 까만 사제복을 입고 있던 미국인 신부님과 수녀님. 그들과 함께 어울려 즐겁게 지내며 마냥 행복했었다. 신부님이 초콜릿과 캔디를 나누어주시며 영어 노래도 가르쳐 주셨다.

노래하시는 신부님의 모습이 너무도 멋있어 보여 천사처럼 보였던 기억들.

병치레가 잦았던 엄마를 따라 외할머니댁에서 지내던 나의 유년 시절은 아카시아 향기와 함께 찾아온 유월의 향기 속에 그대로 남아 있다.

키 큰 아카시아 밑에 앉아서 발아래 마을을 내려다보며 제일 먼저 외할머니댁을 찾아보곤 했다. 손바닥만 한 초가집들이 옹기종기 늘어서 있고 기와집 하나 초가집 두 채 조금 큰 마당을 가진 외할머니댁을 찾는 건 쉬웠다. 바람을 타고 날리는 아카시아 향기가 너무 좋아 한참을 그렇게 앉아 있곤 했다. 그 아카시아 향기가 끝나갈 무렵 유월 끝자락에서 어린 동생들을 남겨두고 엄마는 우리 곁을 떠나가셨다.

지금도 유월이 되면 아카시아 향기 같은 어머니를 그리워하며 마음은 어릴 적 동산으로 달려가지만 되돌아가기에는 너무도 멀리 와버린 지금, 그리운 언덕 위 친구들을 찾아내 마음은 그곳으로 돌아가고 싶어 유월의 향기 속에 나는 매년 가슴앓이를 하면서 나이를 먹어가고 있다.

상추쌈

혼자 늦은 점심을 먹으려 식탁에 앉았다. 냉장고 문을 여니 이웃에 사는 할머니가 준 상추가 있었다. 상추를 꺼내 꼭지를 따고 물에 여러 번 씻어 내니 잎이 파아랗게 살아난다.

손으로 상춧잎을 잘 펴서 찬밥 한 덩이에 쌈장을 올리고 상춧잎을 오므려 한입 가득 넣으니 갑자기 목이 멘다.

돌아가신 어머니 생각이 난다. 유난히 상추쌈을 좋아하신 어머니는 여름이면 텃밭에서 기르던 파아란 상추를 한 소쿠리 뜯어다 한 잎 한 잎 잘 씻어서 식구 모두 마당 평상에 둘러앉아 먹자 하곤 하셨다. 쑥갓을 곁들인 상춧잎 두세 겹에 밥을 조금 놓아 싼 쌈을 한입 가득 물고 눈웃음으로 나를 흘기며,

"상추쌈은 이렇게 먹는 거란다." 하셨다.

나도 질세라 따라서 큰 잎을 골라서 밥 위에 쌈장을 찍어 쌈을 크게 싸서 입안에 잔뜩 물고는 어머니를 흘기며 쳐다보면, 내게 외할머니는 이다음에 시집가서 시어머니 앞에서는 이렇게 눈을 흘기며 상추쌈을 먹으면 못쓴다고 당부하셨다.

그런 기억 때문인지는 모르겠지만 지금도 나는 상추쌈을 무척이나 좋아한다.

여름이면 상추쌈 말고도 외할머니께서는 호박잎쌈을 잘 해주셨다. 연한 호박잎을 줄기까지 벗겨 다듬어서 밥이 뜸 들 때쯤이면 밥솥 뚜껑을 열고 호박잎을 얹어 찌셨다. 주로 저녁상엔 호박잎쌈이 자주 올랐던 기억이 난다.

봄에는 여러 가지 봄나물들, 달래, 냉이, 산에서 나는 취나물, 두릅나물 이런 것들이 먹거리가 부족했던 시절에 우리들의 끼니를 풍성하게 해주었던 것 같다.

그래도 뭐니 뭐니 해도 여름날 온 식구들이 평상에 둘러앉아 서로 눈 흘기며 볼이 터지라 먹는 상추쌈이 최고였다. 열려 있는 대문으로 이웃들이 와서 평상에 끼어 앉아 상추쌈을 거든다. 뜰에는 맨드라미가 한창이고 댓돌 위에 엎드린 복실이가 멀뚱거리며 우리를 바라본다.

지나고 보면 모든 것이 소중하고 그리운 법인가.

혼자서 상추쌈을 먹으려니 옛날 같은 맛도 나지 않고 입맛이 없어 수저를 내려놓는다. 상추쌈은 여럿이 둘러앉아 먹어야 제 맛이 나는데 지금은 외할머니도, 어머니도, 어린 동생들도 없다. 그러니 혼자 먹는 쌈인들 무슨 맛이랴.

딸애라도 옆에 있었으면 우리 어머니처럼 상추쌈은 이렇게 먹는 거란다 하며 눈 흘기면서 서로 마주 보며 웃으련만.
그 시절이 그리워진다. 그리운 마음에 물기 어린 눈가를 닦아내듯 상춧잎에 어린 물기를 톡톡 털어 다시 냉장고에 넣어둔다. 언젠가 나도 그런 따스한 기억을 나누어 주어야지, 하고 고이고이 다시 그리움의 쌈을 넣어둔다.

사랑이란

유난히 뜨거웠던 올여름을 더욱 뜨겁게 했던 매미소리가 거짓말 같이 잦아들었다. 뚝 떨어진 기온 탓일 것이다. 태풍이 물러가고 선선해진 요즘 집 앞 베란다 풀숲에서는 풀벌레 소리가 요란하다.

귀뚜라미, 등껍질이 빨간 방울벌레, 왕귀뚜라미 소리는 가야금 줄 고르듯 청아하다. 방울벌레 울음소리는 히리~링 히리히~링하고 우는데 마치 첫사랑을 떠나보내는 듯 가슴 저미는 구슬픈 소리로 초가을 밤을 지새운다.

풀벌레 울음소리는 짝짓기를 위한 구애의 세레나데이다. 아름답고 우렁차게 울수록 암컷의 선택을 받기 쉽다. 아름답거나 뭔가 있어 보이려 하는 것은 자연계 수컷들의 암컷 차지하기 전략이다.

귀뚜라미 수컷은 작은 땅굴을 파거나 바위틈을 이용해 우는 소리를 증폭시키기도 한다. 긴 꼬리로 넓은 이파리에 구멍을 뚫어 소리를 공명시키기도 한다. 사랑을 차지하기 위한 동물들의 지혜가 놀랍고 눈물겹다.

소리를 우렁차게 내지 못한다고 반드시 루저로 남아야 하는 것은 아니다. 우렁차게 우는 수컷 근처에 숨어 있다가 암컷이 나타나면 재빠르게 먼저 올라타는 얌체 녀석도 있다. 그러고 보면 풀벌레 자욱한 초가을 밤이 결코 평화스러운 것만은 아니다. 짝짓기를 위한 치열한 투쟁과 얌체 짓이 난무하는 생존경쟁의 시간이기도 하다.

그러나 그 속에서 온갖 생명체들이 생명을 이어가는 질서가 있다는 데에 생각이 미치면 마음이 숙연해진다.

그리고 깨닫는다.

사랑이란 한사코 너의 옆에 붙어서
뜨겁게 우는 것임을.

비오는 날의 서정

아침부터 후덥지근한 게 한바탕 소나기가 쏟아질 것 같다. 실내 환기를 위해 가게 문을 열고 서 있는 내게 길 가던 백인남자가 한마디 한다.

"비가 올 것 같네요."

그 말에 내 마음은 어느새 탄산수라도 마신듯 시원해진다. 잔뜩 달구어진 시멘트 바닥을 식혀주고, 망막 가득히 떠오르며 불볕에 절여진 마음 속 응어리들이 쏴~아 하고 씻겨 나가는 기분이다.

한여름 무더위를 식혀주며 한차례 시원하게 쏟아지는 소나기를 싫어할 사람이 있을까.

나는 어릴 적부터 비를 무척이나 좋아했다.

무더위를 식혀주는 것 말고도 비 때문에 갇힌 집안 식구들이 한 자리에 모여 있는 것이 좋았다.

동생들과 마루 끝에 앉아 처마 아래로 떨어지는 낙숫물을 바라보며 불러대던 비.

비야 비야 내려라!

자꾸 자꾸 내려라!

그 소리에 장단이라도 맞추듯이 들려오는 다듬이질
소리. 또드락 또드락. 비가 올 때면 외할머니께서는
툇마루에 앉아 다듬이질을 하셨다.
쏴~~아, 천지가 물함성으로 가득하고 비옷으로 무장
한 옆집아저씨가 긴 삽을 들고 논으로 달려가신다.

때론 여름 소나기를 피해 감나무 아래 있으면 잎새
를 때리는 빗소리가 나지막이 들려온다.
후드득후드득,
오밀조밀 다투어 매달려있는 감 열매들과 그것들을
받쳐주고 있는 무성한 감잎 사이로 빗방울이 떨어져
온다.
사실 비를 좀 맞으면 어떠랴.

우리에겐 든든한 초가지붕 아래 숨겨둔 따스한 아랫
목이 있고 그 안에서 오순도순 모여앉아 정담을 나
눌 사랑하는 사람들이 있는걸.
아랫목에 발을 묻고 앉아서 희뿌옇게 피어오르는 물
안개 속에 기쁨에 떨며 서있는 사과나무 감나무, 대추
나무들을 창호지 문틈으로 가만히 지켜보던 기억들.

평화롭고 따스했던 내 유년의 기억들이 새롭다.

실내공기가 한결 산뜻해진 느낌이다. 유리창 밖으로
낮게 가라앉은 잿빛하늘이 꿈틀거린다.

잠시 후 주위가 점점 어두워지고 우르릉~하고 비가 환호성을 지르며 쏟아진다.
축 늘어서있던 가로수들이 금세 생기를 되찾는다.
꾸물대며 지나가던 차량들에도 가속이 붙는다.
빗줄기가 점점 더 굵어지고 지붕위로 다듬이 방망이질 소리가 요란하다. 아스팔트 위로 쉼 없이 쏟아지는 빗줄기를 한동안 멍하니 바라본다.

이 세상 어떤 악기로도 낼 수 없는 대자연의 멋진 연주가 시작된다.
무대 위 오케스트라처럼 장엄하게, 쇼팽의 피아노연주처럼 경쾌하게, 때로는 거리의 아코디언처럼 애절하게. 그 무엇으로도 표현할 수 없는 빗소리의 리듬.

나는 유리문을 열고 밖으로 나간다.
순간 시원한 바람과 향긋한 흙냄새를 느낀다.
그 옛날 고향집에서 느꼈던 그런 흙냄새를..

멀리서 빨랫감을 가득 안은 루이스씨가 하얗게 웃으며 빗속을 달려온다.

비가 와서 좋은날.

나무의 삶을 보며

못생긴 나무가 오래 산다는 말이 있다.
잘생긴 나무는 목재고 못생긴 나무는 분재다.
목재는 주로 비옥한 땅에 떨어진 씨앗이
별다른 고생 없이 자라서 된 나무다.
이에 반해 분재는 씨앗이 척박한 땅이나 바위틈처럼
악조건에서 성장하는 나무다.
유달리 타고난 조건이 좋은 사람이 있다.
반면 열악한 환경과 악조건을 가지고 태어난 사람도
있다.
그렇다고 어느 삶이 더 행복하고 더 낫다고 말할 수
는 없는 것. 나름의 희로애락이 있기 때문이다. 삶은
보는 가치관의 차이 때문이다.
그리고 달라질 수 있는 상황이나 여건이 희망으로
작용하기 때문이다.

나무는 씨앗이 떨어지는 곳이 곧 자기 삶의 터전이다. 비옥한 땅에 떨어지든 척박한 땅에 떨어지든 일단 땅에 떨어진 씨앗은 최선을 다해 싹을 틔우고 줄기와 가지를 뻗어 꽃을 피우려고 노력한다. 그래야 열매를 맺히고 다시 종족 보존을 할 수 있는 씨앗을 만들 수 있기 때문이다.

나무의 삶을 보면서 나는 또 깨우친다. 굽은 나무가 선산을 지킨다는 말이 있듯이 주어진 조건을 탓하지 말고 이 상황을 충분히 즐기고 모자란 것은 차근차근 배우며 채워나가라고.

12월 끝자락

황혼이 지고 뿌연 밤이 깔리기 시작하는 걸 보면 겨울 해가 정말 짧다. 쏜살같이 빠르다는 세월 속에 2013년도 이제 며칠을 남겨두고 있다.

지난 시간을 뒤돌아보면 똑같은 일상인데도 하루하루가 다르게 느껴지는 것은 나이를 먹은 탓일까….

생활 속에 있는 작은 것들을 소중히 여기며 분수에 맞는 생활에 익숙해지려 하며 살았던 것 같다.

행복은 평범한 작은 일상들 속에 있음을 알게 될 만큼 살아있음을 감사한다.

만족은 자신의 내면에서 찾아지는 것이지 밖으로부터 오는 것이 아니라는 것도 알게 되었다.

그래서 사람들은 나이 먹은 값을 하라고 하나 보다.

지나간 일에 슬퍼하지 않고 아직 오지 않을 일에 근심하지 않으며 오직 지금 당장 일에만 열심히 하며 안 좋은 기억은 빨리 잊어버려 마음을 비우는 것이 행복의 길이라고들 말하는데 아직은 그것이 그리 쉽지가 않다.

행복은 행복하다고 생각하는 사람의 마음속에서 더욱 튼튼하게 자란다는 걸 잊지 말고 얼마 남지 않은 올해도 감사 속에서 행복이 이어지는 날마다의 삶이기를 진심으로 소원해본다.

나무는 봄에 열매 맺지 않는다

꿈은 하루아침에 이루어지지 않는다.

꿈을 이루기 위해선 안타든 대타든 언제 어디서든 열심히 때릴 준비를 해야 한다.

주 선수가 아닌 대타로 발탁돼도 홈런만 치면 인생 역전이 가능하다. 한 방의 홈런이 인생의 성패를 좌우하진 않지만 때린 만큼 실력과 명성이 쌓인다.

기회는 바람같이 스쳐 지나간다.

눈에 보이지도 손에 잡히지도 않는다.

기회는 운수다. 좋은 기회가 온다 해도 기회를 자신의 인생으로 바꿀 수 있는 것은 실력이다.

대타로 성공한 사람들은 그 한 번의 기회를 위해 늘 준비된 사람들이다.

어떤 가수가 독창회를 열기로 했는데 비행기가 연착됐다. 사회자가 대신 노래를 부를 가수를 소개하고 양해를 구했지만, 청중들은 매우 실망했다. 유명 가수 대신 기회를 얻은 신인 가수는 최선을 다해 노래를 불렀지만, 청중들의 반응은 냉랭하기 그지없었다. 아무도 손뼉을 치지 않았다.

그때였다. 갑자기 극장의 2층 출입구에서 한 아이가 큰소리로 외쳤다.

"아빠. 정말 최고였어요."

이 소리를 듣고 아이를 쳐다보는 신인 가수의 눈에는 눈물이 반짝였다. 몇 초 후 얼음처럼 차가웠던 청중들의 얼굴에 미소가 번지고 하나, 둘 자리에서 일어섰다. 우레와 같은 박수갈채가 오랫동안 극장 안에 울려 퍼졌다.

그 신인가수가 '인류 역사상 가장 위대한 테너'라고 칭송받는 **루치아노 파바로티**이다.

1988년 독일 오페라 하우스에서 도니제티의 오페라 '사랑의 묘약'의 아리아 '남몰래 흘리는 눈물'을 불렀을 때는 박수가 무려 1시간 7분 동안이나 계속됐다.

파바로티는 가난한 집에 태어나 생계를 위해 초등학교 교사가 됐지만, 성악가의 꿈을 못 버리고 늦게 공부를 시작했다. 각고의 노력과 시련 끝에 세계에서 가장 유명한 성악가가 된 후에도, 공항 가는 택시 안에서 운전자의 양해를 구하고 발성 연습을 했을 정도로 끊임없이 노력을 계속했다.

성공은 준비된 자의 노력으로 열매를 맺는다.

평소 실력이 성공을 만든다.

삼시 세끼 식사 잘하는 사람이 건강한 것처럼 매일

열심히 갈고 닦은 사람의 삶이 성공을 부른다. 대타의 기회가 온다 해도 실력이 없으면 망신살만 뻗칠 뿐이다.

인생은 놀이방이 아니라 공부방이다.
실력 없는 성공은 곧 무너진다.
성공은 서두르는 사람에게는 비껴간다.
목적 달성, 성공이란 단어에 너무 연연하면 사는 게 각박해진다. 조급하게 굴지 말고 차근차근 실력을 쌓다 보면 기회는 오기 마련이다.

자기 인생을 남들과 비교 분석하는 것은 바보들이나 하는 짓이다. 누가 얼마나 좋은 직장에서 연봉 얼마받고 값비싼 차를 타는지를 푸념하는 젊은 세대는 어리석기 그지없다.
젊을 때는 성공이란 단어에 집착하지 말고 하고 싶은 일에 목숨 걸어야 한다.
나무는 봄에 열매 맺지 않는다.
어리석은 중년이 되지 않기 위해 젊을 때 성장의 아픔에 몸부림쳐야 한다. 혼신을 바쳐 자신만의 꿈이 담긴 '쨍하고 해 뜰 날'을 향해 돌진하는 게 현명하다.

'꿩 대신 닭이면 어쩌랴?' 기대 이상의 맹활약을 펼치면 대타가 주 선수가 된다.
닭이 봉황이 되는 건 일순간이다.

곁눈질하지 말고 자신을 믿어라.
약삭빠르게 계산하며 살지 말아라.
너무 재다 보면 날 샌다.
때론 망가져도
좌충우돌 종횡무진으로 움직이다 보면 청춘은 내일
속에서 보석처럼 반짝일 것이다.

사랑의 본질

헤르만 헤세의 단편 중에 '어거스터스'가 있다.

온갖 정성 끝에 태어난 어느 집의 아들 이름이 어거스터스였다. 그를 낳은 산모에게 한 노파가 나타나 소원을 묻자 그는 모든 이들에게 사랑받는 아이가 되게 해달라고 했다.

크면서 이 아이는 모든 사람으로부터 사랑을 듬뿍 받으며 자랐다.

그러나 받기만 하고 자라다 보니, 이 아이는 매우 이기적이고 교만하게 되어 사람들로 따돌림을 받는 신세가 되어버렸다. 그에게 노파가 다시 나타나 소원을 물어보았다. 그는 모든 이들에게 사랑을 주는 사람이 되게 해달라고 간청했다.

인생의 행복은 사랑에 있고 사랑의 본질은 받는 것이 아니라 주는 데 있음을 말해 주는 글이다.

지난 주말 지인과 함께 식사 약속이 있어 오랜만에 한인 타운에 나갔다가 매년 연말이면 구세군이 울리는 종소리가 나의 시선을 끌었다.

빨간색의 자선냄비는 딸랑거리는 종소리와 함께 이웃 사랑을 우리 모두 실천하자는 듯 내 발길을 멈추게 했고, 나는 주머니를 뒤적거리며 조심스럽게 20불짜리 한 장을 빨간 자선냄비 속으로 집어넣었다.

우리 주변에는 어려운 한인들이 많다. 그들을 위해 작은 정성이나마 함께 하고 싶은 내 생각에 함께 간 지인(知人) 역시 일 불짜리 몇 장을 자선냄비 속에 집어넣었다.

연말이면 한국이나 미국이나 자선냄비가 뜨겁게 달아오른다. 한 사람 한 사람의 작은 보탬이 나비효과처럼 온 세상으로 번져나간다는 사실을 깨달은 탓이었을까?

식사를 마치고 돌아오는 발걸음이 가벼웠고, 사랑을 베풀면 기쁨이 오고 행복감을 느낀다는 단순한 진리를 느낄 수 있는 저녁이었다.

깊은 샘물을 퍼내면 퍼낼수록 맑은 물이 올라오듯이 삶은 나누면 나눌수록 더 풍성해진다.

불우한 이웃을 돌아볼 줄 알고 소외된 사람에게 사랑을 베풀 때 오히려 내가 기쁨으로 풍성해질 수 있다는 진리를 알면서도 쉽게 베풀지 못하고 살았던 지나온 내 시간을 반성해 본다.

시니어가 된다는 것

사람은 누구나가 나이를 먹는다. 그리고 늙어간다는
건 누구에게나 피해갈 수 없는 길이겠지만 그것이
바로 나라는 걸 실감하니 마음 한편이 싸~아 한 게,
지난 토요일 저녁
지인의 결혼식을 다녀오는 길에 좀 늦은 시간이지만
벼르고 벼르던 영화를 보러 갔다.
직원이 "유알 시니어 라잇?" 하고 물었다.
조금 당황했지만 내 입은 벌써 "예스. 마이 허즈번
드 투." 이렇게 해서 반값에 표를 두 장 받아 쥐고
극장 안으로 들어갔다.
참 기분이 묘했다.
예전에 가끔 커피를 사러 맥도날드를 가서 시니어
커피를 주문하면 거의 공짜로 살 수 있어 내가 먼저
"원 시니어" 하면 직원이 한참을 쳐다보다 웃으며
커피를 건넨다.
"땡~큐"라며 뒤도 돌아보지 않으며 나와서는 속으
로 솔직하지 못한 나 자신을 탓하면서도 은근히 돈
을 아꼈다는 생각에 기분 좋게 커피를 마셨다.

그런데 지금은 내가 말하지 않아도 당연하게 시니어라고 묻는 게 뭐 속상할 건 없겠지만, 가슴 한편이 쓸쓸한 건 어쩔 수가 없다.

어릴 때는 빨리 어른이 되고 싶었고, 어른이 돼서는 빨리 돈을 많이 벌어서 안정적인 삶을 살고 싶었고, 아득하게만 보이던 노후의 삶을 멋지게 살리라 다짐했건만 이제 그때를 피부로 느끼게 되었으니 새삼스러울 것도 없으련만 왜 이렇게 심장이 두근거리는 걸까? 아직은 젊다는 생각이 많았던 탓일까?

아니면 나이를 먹고도 제 나이 먹음을 부끄러워할 줄 모르는 탓은 아닐까.

이런저런 생각을 떨쳐버릴 수가 없었다.

하지만 그것도 잠시 까마귀 고기를 먹은 탓인지 하루 이틀 지나면 또 까맣게 잊어버리고 산다.

아~ 난 역시 단순하다! 를 연발하며 오늘도 어제와 다름없는 시간을 살아간다.

한 치 앞도 모르는 인생(人生)

흔히 한 치 앞도 모르는 것이 사람 일이라고 한다.

문득, 한 치가 어느 정도인지 찾아보니 한 자는 대략 30cm 정도이고 10분의 1이니 한 치는 3cm 정도 인 가보다.

사람의 일생에 있어서 6개월을 길이로 따지면 얼마나 될까 하는 쓸데없는 생각을 해본다.

살다 보면 이렇게 쓸데없는 생각들이 머리를 채우는 허한 날들이 있다.

6개월 사이 주변에서 예상하지 못했던 일들이 마구 일어나서 마음을 잡기 힘들다.

6개월 전 새집을 샀다고 자랑하며 행복해하던 부부가 이혼하여 법적인 정리까지 끝났다는 것이다.

그런가 하면 6개월 전 같이 식사하고 춤도 추며 누구보다도 건강에 자신하시던 분이 위암 말기로 고통스러운 투병 생활을 하고, 또 한 분은 자기 집 지하실 계단에서 굴러 머리를 다치는 바람에 아내도 몰라보는 바보가 되어 누워 있고, 가족 중 한 사람은 유방암으로 수술을 앞두고 있어서 의연해지려 애써 보지만 잘되지 않는다.

나이가 어리든 많든 지극히 건강하던 사람이 예상치 못한 병 진단을 받았을 때 충격은 훨씬 더 크다.

세상 누구나가 겪는 일이지만 정작 본인은 쉽게 받아들이지 못한다.

한 치 앞에서도 예상치 못한 어려움을 겪거나 목격할 때 마음속 답답함은 어쩔 수가 없다. 내일을 알 수 없으니 내일에 기대어 살 수도 없고 그렇다고 오늘만 생각하며 살수도 없으니 하루하루를 열심히 균형 있게 살아야 한다는 생각도 잠시…. 바쁜 일상에 떠밀린 채 그냥 잊어버리고 지낼 때가 대부분이다.
저마다 나름대로 누군가는 신앙을 통해서 또 누군가는 학문을 통해서 한 치 앞을 가늠하며 그냥 온몸으로 온 마음으로 서로 기대고 사는 게 아닐는지.
투병 생활을 하는 지인은 불확실한 희망의 끈을 놓지 않고 아마도 길고도 고통스러운 투병을 이어갈 것을 생각하니 마음 한쪽이 아려온다.
이 세상에 소풍 다녀간다며 세상을 떠날 수 있었던 **천상병 시인**의 마음이 그저 위대하게 느껴질 뿐이다.

아직도 내가 안 보이는 한 치 앞만 주목하고 인생 전체를 보지 못하기 때문이 아닐까 하는 쓸데없는 생각들에 마음이 어지러운 겨울밤이다. 우리가 할 수 있는 건 기도밖에 없다는 인간의 한계를 느껴본다.

올케의 유방암 수술을 앞두고서….
우리같이 용기 내자, 파이팅!

어느 봄날에

화사한 봄기운이 나른한 아침, 어디서 날아왔는지 주황색 카디널(홍관조) 한 마리가 배나무 가지에 사뿐히 내려앉는다.
창밖으로 비치는 호수의 잔물결 들이 봄바람에 흔들거리고 어미의 뒤꽁무니를 졸졸 따라다니는 오리 떼들이 케엑 켁 거리며 나들이를 한다.
어느새 봄은 우리 속에 함께하고 있었다.

바쁘게 준비한 아침을 먹는 둥 마는 둥 서둘러 나가는 내 발걸음이 부산하다. 가게 문을 열고 들어서면 언제나 변함없이 정지된 나의 삶이 기계처럼 시작되고, 칙~칙 푸~우 하며 스팀을 내뿜어 대는 작은 공간에는 부러울 것 없는 우리들의 삶이 있고 고마운 나의 사람들이 오늘도 뜨거운 땀방울을 쏟아낸다.

전화기~ 전화기~ 하며 수선스럽게 남편을 부르는 레오나의 목소리. 실크 블라우스가 얼룩이 안 나갔다고 다시 해 달랜다. 우리 집 일하는 직원들은 남편을 전화기라고 부른다.

내 남동생 이름이 **정락**이다. 남편이 동생 이름을 부르는 '정락이' 소리에 궁금해 하며 무슨 말이냐고, 한국말을 배우고 싶어 하는 레오나의 극성에 남편의 짓궂은 장난이 발동하여 코리아에서는 보스를 '정락이'라고 부른다고 알려준 탓에 일하는 애들이 그 후로는 남편을 전화기라고 부른다.

정락이라는 발음이 어려운지 전화기라고. 보스의 와이프는 아저씨라고 부른다고 알려준 탓에 그 후로는 난 아씨가 되었다. 아저씨 발음이 안 되니 그냥 아씨~ 아씨 한다.

물론 우리 집에서만 통하는 말이지만, 서투른 영어와 한국말과 스페인어를 섞어가며 그렇게 십 년 넘게 함께 하다 보니 이제는 서로 눈빛만 봐도 알아서 척척 해낸다.

언어와 문화가 달라도 같은 음식을 먹고 같은 시간을 공유하며 자기들만의 언어를 자유롭게 사용하며 즐겁게 일하는 데는 예스, 노가 분명한 남편의 공이 크다.

출근하면 각자 열심히 자기 맡은 일이 끝나면 그냥 알아서 퇴근한다. 시간이 남았다고 다른 일을 시킨다거나 우리가 할 일을 떠넘기며 시간을 채우게 하지 않는다.

주인 눈치 보지 않고 편하게 일할 수 있게 해주고 일하는 만큼 돈도 아끼지 않고 준다. 간혹 실수가 있어 손해를 볼 때면 언제나 내 편을 들기보다는 항상 약자 편에 선다.

그래서 우리 집에 일하는 직원들은 나보다는 남편의 말을 더 신뢰한다. 평균 나이 40을 오르내리지만 난 모두를 애들이라고 부른다. 내 눈엔 처음 본 그때처럼 시간이 멈춰있는가 보다.

어차피 모든 게 우리 일이고 불이익도 우리 몫이니 너무 아까워하지 말라며 나를 위로하는 것 또한 남편은 잊지 않는다. 나이를 먹어가면서 느껴지는 여유 때문일까? 큰돈은 없지만 언제나 긍정적인 생각과 사고가 나잇값을 하고 있지 않나 그런 생각을 잠시 해본다.

이 땅에 실려 와 힘든 시간을 살아오면서 많은 사람을 만나게 되었고 서로의 아픔을 어루만지며 인연의 소중함을 느끼며 살아왔다. 피부와 얼굴 생김새는 서로 다르지만, 진실한 마음과 사랑은 언제나 우리와 함께했다.

그 인연으로 하여 서로가 부대끼며 살아간다. 앞으로 얼마나 이들과 함께할 수 있을지 모르겠지만, 그 속에서 기쁨과 슬픔을 그들과 함께 나누며 살아가는 내 하루하루가 소중함으로 남기를 기도해본다.

미소 천사

이른 아침 공원을 산책하는데 종종 마주치게 되는 미국 친구가 "Hi, happy summer day! (안녕, 행복한 여름날이야)" 라고 인사를 건넸다. 순간 반사적으로 "Same to you! (당신께도)" 라고 말했다.

아~! 이런 인사도 있구나, 라는 생각이 들었다. 처음 받아보는 인사였다. 불쾌지수가 높은 여름날을 잘 보내라는 뜻이리라. 여기서는 인사 없는 일상이란 상상할 수 없다.

특별히 처음 만나는 사람과 미소를 지으며 건네는 환한 아침 인사는 상쾌하고 하루를 기분 좋게 만들어준다.

세월은 참으로 빨리도 지나간다. 어쩌다 먼 이국에 실려 와 산지 어언 이십 년을 코앞에 두고 살아온 지금. 어색하기만 했던 인사가 이젠 스스럼없이 나온다. 나도 미소를 지으며 이 인사를 다른 사람들에게 한다. Happy summer day(행복한 여름날이야)라고.

톨스토이는 세 가지 질문의 글에서 이렇게 말했다.

첫째. 이 세상에서 가장 중요한 때는 언제인가?

둘째. 가장 필요한 사람은 누구인가?

셋째. 가장 중요한 일은 무엇인가?

그리고는 가장 중요한 때는 바로 지금이고

가장 필요한 사람은 내가 지금 만나는 사람이고

이 세상에서 가장 중요한 일은 선을 행하는 일이라고 답했다.

나는 특히, 지금 내가 만나는 사람이 중요하다는 말에 감명을 받았다. 지금 나는 매일 세대가 다른 사람, 인종이 다른 사람, 여자와 남자들과 만나고 부딪히며 살아가고 있다.

이들이 지금 내 인생에서 가장 중요한 사람들이 아닐까 하는 생각을 해본다. 이들이야말로 나에게 천사일 수 있고 내가 그 사람들에게 천사가 되기도 한다.

살아가면서 상처도 많이 받게 되고 삶이 고단하여 무거운 발걸음 가눌 수 없을 때도 많다. 주변에서 만나는 사람들 그냥 무심히 스쳐 지나가는 사람들에게 생기 있는 인사를 건넨다면 그건 곧 내 기쁨이 되어 돌아온다. 서먹한 관계도 유연해지고 결국은 나의 삶도 가벼워지지 않을까.

헤아릴 수 없을 만큼의 가치를 지닌 미소 천사. 환하게 웃으며 미소 가득한 표정으로 인사를 건넨다면 무더위도 식혀지지 않을까.

돈이 드는 것도 아니고 시간이 드는 것도 아니다. 마음만 먹는다면 누구나 실천할 수 있는 일이다. 미소와 다정한 인사를 통해 서로가 소통할 수 있는 관계. 상대방이 기쁘면 나의 기쁨은 배가 된다는 걸 잊지 말자.

무덥고 불쾌지수 높은 날이다.
Happy summer day!(행복한 여름날이야)

내 나이가 어때서

모처럼 한가한 시간에 마켓에 들러 장을 보고 나오
는 길에 액세서리 가게에 예쁘게 진열된 머리핀이
눈에 들어왔다. 짧은 머리에 살짝 얹으면 예쁠 것 같
아 들여다보고 있는데 여주인이 다가와 이것저것 권
했다. 사실은 살 맘은 없고 그저 예뻐서 구경한 것뿐
인데 머리에 직접 꽂아주는 친절한 손길과 훨씬 젊
어 보인다는 말에 그만 넘어가고 말았다.
옷차림에 맞는 우아한 핀을 권했지만 화사하고 생기
발랄해 보이는 것이 더 좋아 보였다.
그래서 주인에게 화사한 것으로 사겠다고 했더니 조
금 멋쩍은 표정으로 "이게 더 고급스러워 보이는데
요." 하면서 너무 애들답다는 듯 날 바라다본다.
언제부터인지 한 살이라도 더 젊어 보이고 싶어진
걸까, 자꾸 화사한 것에 눈길이 가는 건 어쩔 수 없
다. 그러면서 주인의 눈치를 보며 원하는 핀을 머리
에 꽂아본다.

나이 들어감에 당당하지 못한 것은 왜일까. 나이 많은 게 죄가 될 줄은 몰랐다는 어느 시인의 말이 갑자기 슬프게 느껴진다. 젊은 게 예쁘고 발랄해 보인다는 거 누가 모르나 하지만, 내 나이가 어때서 아직도 생기 있고 발랄해 보이는구먼~ 하며 스스로 위로를 해보지만, 마음 한쪽으로는 싸~아 한 바람이 부는 건 어쩔 수가 없다.

혼한 유행가 가사에 공감이나 하듯이 내 나이가 어때서~를 속으로 웅얼거리며 돌아오는 차 안에서 화사해 보이는 핀을 자꾸 쓰다듬어본다.

봄이 오나 보다

봄이 오나 보다. 나른한 바람이 불어오고 어디선가 꽃망울이 피어나는지 공기가 달콤하다. 온 세상이 다 안팎으로 소란하고 여기저기서 불안한 목소리가 커진다.

어디 세상살이가 수월하기만 할까만은 오랜 시간 목마르게 키워온 희망은 점점 더 멀어져만 가고 삶의 무게는 더욱더 늘어가고 있지만, 계절은 이렇게 또 아무 일 없다는 듯 두런두런 눈을 뜬다.

인생의 파도치는 일이 한두 번이랴, 상처받는 일이 어디 한두 번일까. 묵묵히 상처를 싸매고 꿈과 절망을 디디며 우리는 걸어가야 한다. 그렇게 진실과 희망을 지켜내야 한다. 다시 오는 봄처럼.

사랑하는 이여!!

상처받지 않는 사랑이 어디 있으리.

추운 겨울 지나고 꽃이 필 차례가 바로 그대 앞에 있으니. 그대의 처진 어깨 위에도 환한 기쁨의 꽃이 피어날 터이니.

오늘의 힘든 일들은 잠시 낮은 곳에 묻어두고 마른 가지 하나둘 뚝 뚝 꽃눈 열리듯 봄은 어김없이 찾아오니.

우리 함께 봄의 합창에 노래 부르자.

어제 내린 비에 마른 가지 새싹이 삐쭉 얼굴을 내민다.

휴일 아침

늦장을 부려도 좋을 휴일 아침, 그런데 다른 날처럼 똑같은 시간에 일어나 오늘은 무엇을 할까 고민하는 날 보니 순간 웃음이 난다. 초록빛으로 흔들리는 나뭇잎 사이로 반짝거리는 햇살이 눈이 부시다.

핸드폰을 만지작거리다 다시 소파에 길게 누워 게으름을 피워보기도 하고 티브이 리모컨을 켜고 초점 없는 눈빛으로 화면을 들여다본다.

잠시 잊고 살았던 오랜만에 가져보는 나른한 일상의 호사로움. 창밖으로 보이는 초록의 푸르름. 살랑거리는 호수의 물결 위로 미끄러지듯 달리는 햇살.

어느 것 하나 아름답지 않은 게 없는 자연의 아름다움을 언제 이렇게 바라보았나 싶다. 하루해가 날마다 뜨고 지고 눈물 날 것 같은 그리운 날들이 있었지만 나를 바라보는, 내가 바라볼 수 있는 이 맑은 자연의 눈동자는 날마다 살아있어 무르익어가는 나의 삶은 정녕 헛되지 않았으리라는 의미를 부여하고 싶다.

내 마음속에 그려 놓은 고운 자연의 풍경을 오늘처럼 푸르름 가득한 오월의 끝자락에서 뒤돌아보는 세상은, 그래도 살맛이 나는 것이었고 나의 붉은 심장을 아직 뛰게 하는 것이지 않았을까 생각해 보기도 한다.

여름

쌈 싸 먹고 싶다.

한여름 무더위를 씻어주는 푸른 잎새들.

텃밭에 나가 상추 몇 잎, 쑥갓, 그리고 씀바귀 몇 잎. 푸르게 흩어져 있는 초록의 이파리들을 한 잎 한 잎 대 소쿠리 가득 뜯어 장독대에 묻어둔 장아찌와 항아리에 들어있는 매콤한 맛을 양푼 가득 담아 우물가 모서리에 톡 톡 털어 밥 한 숟가락 촘촘한 햇살에 비벼 상추 몇 잎 손바닥에 펼치고 쑥갓, 씀바귀 얹어 한 입 크게 벌리며 땀방울 맺힌 나무 아래서 오물오물.

아~ 맛있다. 이게 바로 여름인 거지.

더위에 지친 여름엔 상추쌈이 최고지. 유년의 여름날 외할머니께서 싸주신 상추쌈 맛나게 먹는 모습을 흐뭇하게 바라보시던 정겨웠던 외할머니. 지금은 그 모습조차 가물거린다.

오늘처럼 햇살이 또글또글 여무는 날이면 생각나는 내 유년의 여름날. 되돌아가기에는 너무도 멀리 와버린 지금 마음은 언제나 정겨운 외할머니 댁으로 달려가 본다.

낡은 구두

예쁜 신발을 신으면 고운길만 걸을 거라고 믿었던
어린 시절엔 새 신발을 사 오면 빨리 신어보고 싶어
서 품에 안고 자던 기억이 난다.

그 후 어른이 되어서 나는 구두를 사서 신으면 버릴
때까지 거의 닦지를 않고 뒤꿈치가 낡아 헐떡거릴
때까지 신는다. 구두가 반짝거리는 것보다 낡아지는
그 모습 그대로가 편하고 좋았다. 여러 켤레 구두를
바꿔가며 신으면 오랫동안 새 구두처럼 신을 수 있
다고 매번 잔소리를 듣기도 하지만 잘 안 된다.

낡은 구두가 다시는 신을 수 없을 때까지 새 구두는
아껴둔다. 새 구두보다는 오랫동안 신은 낡은 구두를
신을 때 더 편하게 잘 걸을 수 있기 때문이기도 하
지만, 내 발에 익숙해져 있는 편안함이 좋았다.

나의 삶도 그렇다. 항상 새로운 것보다는 오래되고 그저 익숙한 게 좋았다. 그래서 나의 살림살이는 언제나 내 손때가 묻어 있는 투박한 소품들이 거의 전부이다.

아마도 나이 들어가는 나의 모습도 꾸밈없이 소박하게 늙어갈 것이다.

낡은 나의 구두처럼 사는데 그렇게 많은 치장이 필요 없음을 깨달았음일까?

그냥 이렇게 편하게 흐르고 싶다.

낡은 샌들 끈이 떨어져 몇 번을 망설이다 쓰레기통으로 직행하던 날, 구두끈을 매만지듯 생각의 끈도 매만져본다.

살아보니

인생 살다 보면 마음먹은 대로 안 될 때가 더 많다.
기쁨은 더 할수록 커지고
슬픔은 나눌수록 작아진다지만
각자 자기의 삶을 짊어지고
앞만 보고 달리다 보니
마음먹은 대로 되지 않는 게 인생이다.
슬프면 울어야 하고 기쁘면 웃어야 한다.
그게 자연의 순리다.

힘들면 힘들다고 말하고
울고 싶을 땐 울어라.
눈물이 있는 곳에 삶이 있고
눈물이 있는 곳에 강인함도 있다.

솔솔한 오솔길만 걸어본 사람은
인생의 희로애락을 전부 알지는 못할 것이다.
실패나 실수로 인하여
인생의 밑바닥까지 내려가 본 사람은
눈물의 강인함을 겪어 봤을 것이다.
누구나 홈런 한 방 때리고 싶겠지만
그게 맘대로 되지 않는 게 인생이다.

인생 살아보니 별거 아니더라.
서로 잘났다고 떠들어 대지만
도토리 키 재기, 다 거기서 거기.
구 회 말 삼진 아웃 순간이 올지라도
그래도 한번은 살아볼 만한 세상이 아니겠는가.

딸에게 전하는 편지

나는 오늘 사랑에 대한 편지를 쓴다.

사랑이라는 것은 피고 그리고 진단다.
꽃만 피고 지는 게 아니란다.
사랑도 피고 진단다.
보름달처럼 차오르고
그믐달처럼 기울기도 한단다.

첫사랑이 마지막 사랑이었으면
더 이상 아무도 사랑할 수 없었을 거란다.
지는 것은 슬프지
떨어지는 꽃잎도 낙엽도
황홀한 빛을 뿜으며 꼬리를 감추는 낙조도
애잔하고 슬프지
그러나 그냥 사라지는 것이 아니란다.
찬란하게 불태우고 떠나는 것들은
제각기 약속의 말들을 주고받는단다.

꽃은 꽃씨로 봄을 기약하고
낙조는 다시 떠오를 태양을 위해
잠시 자리를 비켜섰을 뿐 이란다.
낙엽은 겨울나무들의 발등을 제 온기로 덮으며
푸른 잎을 피울 시간을 기다린단다.

사랑이 계절 따라 피고 지고 열매 맺는 것처럼
사랑이 처음 가슴에 작은 씨앗으로 떨어지면
가슴이 콩닥콩닥거리지.
뭉게구름 속을 헤매며
오색찬란한 무지개 꿈을 꾸게 된단다.
봄날의 정원처럼 따스하고 정겹단다.
그 작은 씨앗이 꽃 필 즈음
사랑이란 이름의 누군가를 만나게 되겠지.

그 만남은 너무도 달콤해서
감당하기 힘들 때도 있단다.
한 번 삼키면 독약 바른 초콜릿처럼
온 전신을 마비시키기도 하지.

사랑은 집착이 되고 올가미가 되기도 한단다.
사랑은 두 사람이 하는 것이지만
결국은 하나가 되는 것이니까.

그러나 한여름 밤처럼
영원히 그대로만 빛나는 아름다움은 없단다.

사랑이란 이름으로 지불해야 할 것들이
너무도 많아서
포근했던 유년의 고향으로
달아나고 싶을 때도 있단다.

사랑이 눈물을 닦아주는 손수건이고
상처를 덮어두는 반창고란 걸
스스로 깨닫게 되면
사랑은 성숙이란 마땅한 보수가 된단다.

사랑으로 고통받고 사랑 때문에 넘어졌지만,
사랑이 있었기에 다시 시작할 수 있는 거란다.

피고 지고 스쳐 간 크고 작은 사랑이 모여
내 삶에 강물처럼 흘러왔다고
사랑이 아늑한 강물이 되어
생의 밑바닥까지 따스하게 덮어 주었다고
지금의 나는 말하고 싶단다.

지금, 사랑의 이름표를 가슴에 달아두렴.
사랑 없이 사는 백 년보다
사랑하며 사는 하루가 더 아름답단다.

떠난 사랑, 못다 한 사랑, 잊혀진 사랑,
상처받은 사랑 때문에 눈물 흘리지 말렴.

지는 것은 다시 핀단다.
사랑의 꽃씨를 품은 사람에게는
사랑이란 것은 영원히 지지 않는 꽃이란다.
그리고
사랑의 꽃은 꺾지 않으면 이내 다시 핀단다.

미시간 애비뉴(Michigan Avenue)

멀리 미시간 호수가 보이는 창가에 앉아 헤이즐넛 향기와 마주한다.

호박빛 노을이 출렁거리는 수평선 위로 갈매기 가 끼룩 거리며 어두워져 가는 호수 위를 날아다니고 있다.

그리도 북적대던 시카고 애비뉴도 어느덧 어둠의 그림자를 길게 드리우고 하나 둘 켜지는 불빛사이로 수많은 젊음이 넘실댄다.

간간히 사진을 찍으며 지나가는 젊은이들 사이로 화려한 네온사인이 반짝거리며 긴 꼬리를 드러낸다.

풍요속의 빈곤이라 했던가..

그 속에서 살아가는 가난한 이들의 노래가 흐느적거리며 빈곤의 격차를 말해주듯 화려한 불빛사이를 배회하는 사이, 미시간 애비뉴의 밤은 하얀 속살을 드러내고 있었다.

하얗게 칠해진 카페의 벽이 마치 영화관 스크린 같다. 그 위로 순간의 파편 같은 기억들이 파노라마처럼 스쳐지나간다. 오늘도 수많은 사람들이 스쳐지나가고 또 다시 만나고 헤어지는 미시간 애비뉴.

밀려오는 파도처럼 한 때를 머물다간 사람들 사이로 카페의 벽에 걸리는 흑백의 영상들..

혼자 있어도 혼자가 아닌 것처럼,

군중 속에 있어도 혼자인 듯 한 외로움.

오늘도 내일도 아마 그 다음날도

덧칠된 화려함으로 그렇게 변함없이 그 자리를 빛낼 것이다.

몇 번을 돌고 돌아 북적대던 미시간 애비뉴를 뒤로하고 집으로 돌아오는 길을 밝혀주는 푸르스름한 가로등 불빛이 유난히 시리게 우리를 비추고 있었다.

작은 것의 행복

아가의 솜털처럼 드문드문 잔설이 예쁜 아침이다.
프라이팬에 치지직~ 계란을 넣고 우유를
부어 저어준다.
계란이 몽글 몽글 예쁘게 달라붙어있다.
소금 후추를 살짝 뿌려 한입에 쏘~옥,
맛있는 아침풍경이다.
물론 예쁜 것도 좋지만 실은 편한 게 좋아 대충 만
들고 만다.
반듯한 그릇에 예쁘고 보기 좋게 담아 먹는 걸 좋아
하는 남편이 대충 대충 한다고 또 잔소리를 하지만
그냥 못들은 척 한다.
오랜 세월 듣고 살아온 잔소리지만 그만큼 살아왔다
는 자신감 때문인지 조금은 헐렁하게 듣곤 한다.
사람이고 물건이고 편해야 오래가고 애착이 가듯이
살아온 세월만큼 눈치도 백단이 넘는다.
눈빛만 봐도 서로가 뭘 원하는지 안다.
사실 겪어보면 안다.
세상사 이치가 다 그렇다는 걸.
모처럼 여유로운 휴일 아침,
작은 것의 편안함을 느껴보는 아침이다.
창밖으로 보여지는 겨울아침이 상쾌하다.

미시간 호수

시카고 동쪽 끝 어디에서나 미시간호수를 만난다.
끝없이 펼쳐진 수평선 위로 갈매기가 날고 수없이
떠있는 새 하얀 요트들.
호수라고 하기에는 믿을 수 없을 만큼 어마 어마한
크기의 미시간 호수.
아름다운 다운타운의 높은 빌딩 그림자들을 안고 자
랑스럽게 흔들거리는 호수의 물결들.
호수 주변으로 아름답게 나있는 가로수길, 그 길사이
로 롤러블레이드를 타고 달리는 젊음들.
호수주변을 조깅하는 연인들.
호화로운 요트로 서핑을 즐기는 사람들.
높은 빌딩 사이를 곡예하듯 날아다니는 비행기.
뜨거운 태양아래 눈부시게 펼쳐져있는 파아란 호수.
내가 미시간 호수를 처음 만났던 첫 인상이다.
한국 크기의 1.5배라는 말에 감탄사를 연발하며 우리
는 호수를 따라 걷는 사람들 속에 끼어 같이 걸었다.

풍요와 축복의 나라에서 만난 처음 본 미시간호수.
그렇게 네이비피어(Navy Pier)까지 걸어갔다.
거기에서 유람선을 타고 시카고 강줄기를 따라 다운
타운의 빌딩 숲 사이를 지나며 끝이 보이지 않는 높
은 빌딩을 목이 떨어져라 쳐다보며 감탄하는 내게
딸아이가 그렇게 신기하냐고 물어왔다.
나는 주저없이 너무 아름답고 신기하다고 대답했다.
백년이 넘었다는 고풍스러운 빌딩, 지은 지 팔십년이
되었다는 그리스풍의 오페라 하우스.
그 옛날 어떻게 강물을 막고 저런 거대한 건물을 지
을 수 있었을까, 궁금하기도 했다.
다운타운 사이사이를 지나던 유람선이 다시 호수가
운데 선착장으로 되돌아 왔을 때는 이미 일몰의 노
을이 호수 위를 비추며 황홀한 광경을 연출하고 있
었다.
찬란하게 꺼져가는 태양과 호수에 드리워진 저녁노
을이 한 폭의 그림처럼 수놓아져 있었다.
화려한 네온사인과 현란한 불빛의 야경으로 바뀌어
가는 높은 빌딩 숲들은 위풍당당한 모습을 서서히
어둠속에 숨기고 출렁이는 호수의 물결 속으로 잠겨
들고 있었다.
어디에서 모여들었는지 수많은 젊은이들로 붐비고
있는 네이비피어. 어느 곳이나 그렇듯이 길거리에 쭉
늘어서있는 먹거리들. 기타를 치며 흥겹게 노래를 불
러대는 거리의 악사, 그리고 거기에 맞춰 춤을 추는

행인들.

그렇게 네이비피어의 야경은 여러 유색인종의 젊은 이들로 들끓고 있었다.

이제 어둠속에 완전히 묻혀버린 호수와 함께 피곤함이 한꺼번에 몰려든다.

온갖 고뇌와 시름들이 그 속에서 조용히 사라지고 마음의 평온이 찾아오면 새로운 시작의 내일이 밝아 오듯이, 이 거대한 호수도 이민생활에 지친 우리들의 피곤함을 씻어주듯 여전히 맑고 아름다운 모습으로 웅장한 그 자태를 새롭게 드러낼 것이다.

이제 서서히 무르익어가는 네이비피어 야경을 뒤로 하고 아쉬운 발길을 돌렸다.

호수에서 불어오는 밤바람도 참 시원하고 싱그러웠다. 미국에 가던 첫 해, 1998년의 어느 밤이었다.

시월의 햇살

빗살무늬 햇살이 잔잔히 퍼지는 휴일 아침.
손뼘만큼한 햇살이 머리 위를 비춰주고,
텅 빈 가을들에는 길 떠날 채비를 하는 기러기떼들
이 애잔한 울음을 울고,
시월의 마른 나뭇잎 하나 뚝 떼어 그리움 가득 담아
서리진 마음에 한 줄기 모닥불을 피워본다.

세월의 모퉁이 돌아돌아 한 설움 주위들고
주섬주섬 길 떠날 채비를 하는 나의 노래는 빈 하늘
가를 떠돌고

세월이 가는 만큼 세월을 놓아준다는 것은
가는 것이 아니라 간 만큼 다시 가까워졌다는 뜻이
아닐까.

아쉬움 가득 남기고 떠나는 길.
그래도 아름다운 그리움을 남기며
작은 따사로움을 약속하며
남겨진 그리움으로 다시 만날 아름다운 약속에
우리 서로 사랑하며 남겨진 그리움을 만끽하자.

현실의 벽이 조금은 가파를지라도
우리 꼭 그렇게 사랑하며 살자.

차가운 바람이 옷깃을 여미게 하는 휴일 아침
아직은 남아있는 대지의 온기에 감사하며.

축하의 글 I : 고국을 그리는 마음

형부 *오장원*

수필집 발간을 축하합니다.

어릴 때부터 책을 쌓아놓고 읽기를 좋아했다고 하는 말을 언니한테 많이 전해 들었습니다.

미국에 보따리 싸매고 간 지, 어언 4반세기.

연잎 위에 구르는 빗물 방울처럼 단어들이 맑고, 표현하는 구절들이 바로 눈앞에 또렷이 떠오르는 사실감은 정말 일품입니다.

수만 리 이국땅에서 고향, 고국을 그리는 마음이 절절히 느껴옵니다. 얼마나 힘들고 외로웠을지, 가슴이 저며 옵니다.

미주 중앙일보 신문에 정기연재하며 재미교포들의 고향을 그리는 마음을 함께 나누었다니 그 필력(筆力)은 더 말할 나위가 없겠지요.

25년의 시카고 생활을 마감하고 귀국하는 시점에 고귀한 수필집 출간 준비를 한 딸 아리님이 아니었으면 이 책이 빛을 볼 수 없었을 겁니다. 다시 한 번, 오래도록 길이 남을 수필집 출간을 축하합니다.

축하의 글 Ⅱ : 작가의 밝은 새 출발을

딸 *황아리*

사람들은 자신의 이야기를 할 때 가장 빛이 난다고
합니다. 어머니의 글은 이야기를 넘어 한 편의 영화처
럼 그 장면을 눈 앞에 펼쳐지게 합니다.

글 속에서 엄마의 순수한 어린 시절로, 뜨거운 청춘
속으로, 애틋한 추억 속으로 여행해볼 수 있는 특권을
저처럼 어려서부터 누린 사람은 흔치 않을 겁니다.

멋모르던 중학생 때부터 살짝 훔쳐보던 엄마의 글쓰
기가, 지구 반대편에 혼자 떼어놓은 딸이 그리울 때
마다 나누어주었던 카톡 메시지들이 이렇게 조각조각
꿰어져 책이 된다는 일이 너무나도 가슴 설렙니다.

글을 쓴 사람과 그 글을 가장 먼저 읽은 사람, 저희
두 사람의 오랜 소원을 이룰 기회를 얻게 해 주신
큰 이모부 오장원 님과 진달래출판사 오태영 작가님
께 큰 감사를 드립니다.

엄마의 가장 빛나는 날은 지금부터예요.

이제 작가 임경옥으로 인생의 새로운 페이지를 시작
했으면 좋겠습니다.

축하하고 사랑합니다.

축하의 글 III : 무지개가 떠오르는

동생 *임수정*

정말 순수하고 꾸밈없이 있는 그대로의 삶을 살며 어디서 어떻게 어여쁜 인성을 타고 났을까 할 정도로 예쁜 우리 언니. 언니의 삶을 생각하면 여러가지 색깔을 가진 무지개가 떠오릅니다. 때론 부드럽고 인정많고 따뜻하고 여리지만, 어떤 위기의 상황에서도 굴하지 않는 강인함을 지닌 우리 언니. 그런 언니의 동생이라는 것이 늘 자랑스럽습니다.

30년 가까운 시카고 이민생활을 이렇게 글로 엮어 출판하게 되어 정말로 기쁘고 진심으로 축하합니다. 언니의 시를 읽을 때마다, 힘들게 겪은 이민생활의 애환들이 마음 깊이 느껴집니다. 하지만 그럼에도 지혜롭게 잘 적응하며 살아 왔음에 박수를 보냅니다.

앞으로 남은 인생도 시와 함께하며, 건강하고 즐겁게 형부, 딸, 사위와 함께 꽃길만 걸어가기를 항상 기도할게요. 영원히 사랑합니다.

편집자의 글 : 시카고 랩소디를 부르는 기분

글을 읽으면서 고국을 떠나 산다는 것이 얼마나 힘들고 어려운지 느꼈습니다.

옛 추억을 그리워하며 부르는 향수 어린 노래는 그대로 수필(隨筆)이 되어 독자들의 마음을 울리고 읽고 나면 나도 모르게 이 땅에 사는 행복을 온몸으로 느낍니다.

작가의 글은 이렇게 자연스레 작품이 되었습니다. 하지만 늘 고향을 그리며 책을 읽고 우리말에 대한 사모함을 놓지 않았기에 오히려 한국에 사는 저희보다 훨씬 아름답고 정감 있는 단어를 구사해 우리를 깜짝 놀라게 합니다.

따님의 어머니 사랑을 또한 느끼는 시간이었습니다. 평생의 소원일 수도 있다며 모든 정성을 다 기울여 만들다 보니 추석 전을 생각한 제게 많은 인내의 시간을 주었지만, 그만큼 잘 만들고 싶은 그 마음을 깨달아 그 뒤에는 조용히 기다렸습니다.

이제 2022년을 맞아 가족의 어려움 속에서도 책이 나왔기에, 작가의 귀국 후 새로운 출발에 힘이 되었으면 하는 바람이고, 타고난 소질을 아낌없이 발휘하여 많은 달란트의 유익을 내시길 기도합니다.

작가 오태영(진달래출판사 대표)